VERBORGEN VERLEDEN

Ina van der Beek

Verborgen verleden

VCL serie

ISBN: 978 905 977 379 0
NUR 344

© 2009, VCL-serie, Kampen
Omslagillustratie: Jack Staller
Omslagbelettering: Van Soelen Communicatie, Zwaag
www.vclserie.nl
ISSN 0923-134X

Ze probeert haar ogen open te doen, maar het lijkt of er gewichten op haar oogleden liggen.

Ze hoort stemmen, de ene stem zegt: 'Ik zag haar oogleden bewegen, ik weet het zeker!' Het is een vrouwenstem en het klinkt opgewonden. Is het de stem van haar zusje?

Een mannenstem antwoordt: 'Ik ben bang dat je het wilt zien, ik zag echt niet...'

Dan zakt ze weer weg in het donker.

1

Herma doet haar schooltas onder de snelbinders en haalt haar fiets uit het fietsenrek.

'Nou, schiet op, ik wil naar huis!' Ongeduldig kijkt ze naar haar tweelingzus die, na haar jaszakken doorzocht te hebben, nu haar tas heeft opengemaakt en de inhoud op de grond van de fietsenstalling gooit.

'Ik ben m'n sleuteltje kwijt, wacht even, hier is-tie!'

Herma wacht en kijkt toe hoe Karin de boeken weer in haar tas propt en de slotjes dichtklikt. 'Stomme tassen!' hoort ze Karin mopperen.

'Wat?'

Karin heeft nu ook haar tas achter op de fiets vastgemaakt en loopt achter haar zus aan de stalling uit.

'Ik zei: stomme tassen! Zo belachelijk dat ze hier nog van die ouderwetse schooltassen hebben en nog erger, dat je gewoon verplicht bent om er een te gebruiken.'

Zwijgend fietsen ze weg bij school. Karin trapt zo hard dat Herma goed haar best moet doen om haar bij te houden. Na een paar honderd meter legt ze haar hand op Karins arm en zegt: 'Och meid, wat boeit die tas nou! Iedereen heeft er zo een, dus we lopen niet voor gek. Als we in Amsterdam zo naar school hadden gemoeten, was dat erger geweest, toch?' Nu moet Karin lachen, of ze wil of niet. 'Ik zie ons al lopen! Net of we nog eersteklassers zouden zijn! Maar ze lopen hier echt achter! Het lijkt wel 1956 in plaats van 1976. Stel je voor: een leren schooltas verplicht!' Karin is nu langzamer gaan fietsen en Herma neemt automatisch haar tempo over. 'Waren we hier maar nooit komen wonen, hè?'

Herma haalt haar schouders op. 'We hadden weinig keus; pappa's praktijk is belangrijker dan onze schooltas.'

'Mmm, wat denk jij soms toch simpel. Worden we hier neergezet in een achterlijk Drents dorp en jij schikt je er gewoon in.'

'Misschien ligt het aan jou, want volgens mij ben jij de enige die hier zoveel moeite mee heeft. Mamma is al aardig gewend, pappa is helemaal in z'n element en Jasper vindt het ook prima.'

'Jasper! Die is hier alleen de weekenden, verder zit hij nog lekker in Amsterdam, dat kun je niet meetellen.'

Even blijft het stil, ze hebben tegenwind, dat vraagt inspanning. Dan zegt Herma: 'Dit achterlijke dorp is trouwens geen dorp, maar een stadje. En wees blij dat we elkaar hebben. Zo heb je altijd een vriendin bij de hand, toch?'

Karin bromt wat, verder blijft het stil tot ze thuis zijn.

Langzaam begint het te wennen op de nieuwe school. Herma en Karin zitten in de vierde klas van het atheneum. Het is een flinke school, die bezocht wordt door jongeren uit de hele regio. Hoewel er andere lesmethoden worden gebruikt dan op hun school in Amsterdam, kunnen ze het niveau prima aan. Met verschillende vakken zijn ze duidelijk verder dan de rest van hun klas, bij enkele vakken is er een kleine achterstand. Maar met de jongelui van hun klas hebben ze weinig aansluiting. Ze worden gezien als de stadsen en eigenlijk kijken zijzelf, zeker in het begin, ook een beetje neer op de jongens en meisjes in hun omgeving. Ze praten anders, hebben hun eigen grappen en humor. Juist daardoor wordt de band tussen de tweelingzussen, die altijd al goed was, steeds hechter.

Eind november vieren ze hun zestiende verjaardag.

'Wat willen jullie doen? Een feest geven voor klasgenoten? Dat is misschien een goede manier om er wat meer in te komen,' stelt hun moeder half november voor. Ze zitten op de bank voor de tv, het is zaterdagavond en vader Kees is net weggeroepen naar een patiënt.

'Hè ja, meiden,' bemoeit Jasper zich ermee, 'vraag eens wat leuke jongens uit je klas, want anders schieten jullie over, hoor!'

'Bemoei jij je er alsjeblieft niet mee, zeg!' valt Karin uit. 'Ga jij maar lekker naar Amsterdam, achter de meisjes aan.'

'Dat zal ik zeker doen!' Jasper lacht. 'Het was maar een grapje, Karin!'

Karin gooit een kussen naar zijn hoofd, ze kan nooit echt boos worden op haar oudere broer. Dat geldt ook voor Herma. Allebei de meiden zijn dol op hem, en omgekeerd.

'Nee, maar zonder gekheid, wat willen jullie?' Moeder Hanny kijkt haar dochters aan.

'Geen feest met lui uit de klas in elk geval, hè Herma?'

Herma schudt het hoofd. 'Nee hoor, daar heb ik geen behoefte aan. We hebben een veel beter plan: in de kerstvakantie een weekje naar Amsterdam, logeren bij oma, alle vriendinnen langs enne… misschien wat leuks doen met Jasper, pap en u? Naar de Chinees of zo?' Afwachtend kijkt ze van haar moeder naar Jasper.

'Tja, als jullie dat willen… Ik weet nog niet precies wanneer pappa dienst heeft rond de feestdagen, maar wellicht kan dat wel geregeld worden wat ons betreft. En oma zal het helemaal geweldig vinden. En jij, Jasper?'

Jasper grijnst. 'Is er dan echt niet één leuke jongen op die school van jullie, die het waard is om er een feestje voor te organiseren?'

'Niet een!' zeggen ze tegelijk.

'Dan offer ik me graag op om zelfs rond de feestdagen een avondje in Amsterdam te blijven.'

Later in bed ligt Herma er nog over na te denken. Wat een verschil: hun verjaardag hier of vorig jaar in Amsterdam! Hun halve klas was geweest, ze hadden zo'n gezellige groep waarmee ze altijd optrokken. En daarnaast ook nog meisjes van de volleybalvereniging. Nou, dat ging dit jaar dus totaal anders worden. Ze had zich hun zestiende verjaardag altijd heel anders voorgesteld. Zestien, dat is toch wel een beetje een bijzondere leeftijd, vindt ze zelf. Maar evenmin als Karin heeft ze behoefte om meisjes of jongens uit hun nieuwe klas te vragen.

Ze zucht als ze zich omdraait. Ze heeft het hier niet echt slecht naar haar zin, maar om nou te zeggen dat ze het zo geweldig vindt... nee, dat toch ook niet. Gelukkig dat ze Karin heeft, anders was het echt vervelend hier. Soms wilde ze maar dat pappa gewoon in de praktijk in Amsterdam was blijven werken. Maar ja, ze kan zich ook wel voorstellen dat hij de kans om huisarts te worden in de omgeving waar hij zelf is opgegroeid, met beide handen heeft aangepakt. En mamma vindt het geweldig hier. Het huis is natuurlijk prachtig, zo ruim en omgeven door een grote tuin, dat zal in de zomer wel heerlijk zijn. Ze zijn hier in september komen wonen, toen was het mooie weer al snel omgeslagen, maar komend voorjaar en zomer ziet ze zichzelf al heerlijk in de zon liggen. Misschien kunnen ze wel een hangmat spannen tussen een paar van die hoge bomen en dan...

Herma slaapt.

Het weekje in Amsterdam is heerlijk! Maandag 27 december reizen ze met z'n drieën, moeder Hanny en haar twee dochters, per openbaar vervoer naar de hoofdstad en donderdag de 30e komt ook vader Kees die kant op. Hij heeft met de jaarwisseling geen dienst en dus kunnen ze allemaal Oud en Nieuw bij oma Govers vieren. Het wordt wel een beetje vol, want oma heeft maar één extra slaapkamer. Daarom neemt Jasper z'n zusjes de laatste nachten mee naar z'n studentenhuis. Daar is tijdens de feestdagen ruimte genoeg; iedereen is naar zijn of haar ouders en zijn huisgenoten hebben er geen enkel probleem mee als Jaspers zusjes hun luchtbed en slaapzak neerleggen in een van de kamers.

Karin en Herma genieten van elke dag. Alle oude bekenden worden opgezocht, op donderdagavond gaan ze met z'n allen uit eten en bij oma is het zoals altijd gezellig. De dagen gaan veel te snel voorbij. Zondagavond om halfnegen stappen ze weer in de auto om de thuisreis te beginnen.

'Moet dat nou, op zondag?' heeft oma zachtjes gemopperd.

'Het is niet anders, mam,' zegt Hanny. 'Kees moet morgenvroeg weer klaarstaan voor z'n patiënten.'

Karin en Herma staan aarzelend bij de deur van oma's huis.

'Nou, kom op meiden, opschieten!' Kees houdt het portier voor hen open.

'We bedenken eigenlijk net iets,' zegt Karin, 'mogen wij niet nog een paar dagen langer blijven?'

'Nou, daar komen jullie lekker vlot mee!' Weifelend kijkt Hanny haar moeder aan. 'Het is misschien wel wat druk voor oma, de logeerpartij heeft al lang genoeg geduurd hoor.'

Herma zegt niks, maar kijkt haar oma smekend aan.

'We zijn toch geen kleine kinderen, oma heeft meer gemak dan last van ons, hè oma?' vindt Karin.

Oma glimlacht. 'Ik vind het prima, hoor, best gezellig en ik denk dat ik jullie niet zo veel zal zien overdag.'

Kees haalt z'n schouders op en pakt de tassen van de tweeling weer uit de auto.

'*Yes!* Bedankt oma! Dag pap, dag mamsie, we bellen wel wanneer we naar huis komen. We hebben de hele week nog vakantie.'

'Hoho, woensdag in de loop van de dag pakken jullie een trein onze kant op, hoor. We spreken nog wel af hoe laat, maar dan is het echt mooi geweest. Afgesproken?'

Die volgende twee dagen worden Karin en Herma met hun neus op de feiten gedrukt: hun leven hier in Amsterdam is echt voorbij. Hadden hun oude vrienden en vriendinnen de afgelopen week tijd vrij gehouden om hen te ontmoeten, voor deze tweede vakantieweek heeft ieder weer zijn of haar eigen bezigheden gepland. En het onverwacht langer blijven blijkt dus veel minder leuk dan ze gedacht hadden.

'We horen er niet meer bij, Herma,' zegt Karin als ze 's middags tijdens oma's middagdutje samen in de kamer zitten. Herma haalt haar schouders op. 'Tja, misschien wel logisch, iedereen gaat door met z'n leven. Het valt mij ook wel een beetje tegen. Hoe lang zijn we nou weg, nauwelijks vier maanden. Maar ze praten over dingen van school en zo, waar wij niet vanaf weten. Gek hè, dat dat zo snel gebeurt.'

Als de telefoon gaat, springen ze tegelijk op, zou er toch nog iemand... Maar het is Jasper. 'Hé Herma, er ligt hier nog een trui van jullie, heb je die nodig of zal ik hem volgend weekend mee naar huis brengen?'

'Ik kom hem zo wel even halen, ben je de hele middag thuis?'

'Nee, ik ga zo weg, maar Harry is er wel. Jullie hebben op zijn kamer geslapen, daar lag die trui. Vandaar dat ik hem ook niet eerder heb gevonden.'

'Oké, bedankt. Doeg!'

'Wie was dat en wat ga je halen?' Karin is rechtop gaan zitten en kijkt haar zus nieuwsgierig aan.

'Jaaaaa...' zegt Herma geheimzinnig, 'dat zou je wel willen weten, hè? Een heel leuke jongen, die nog een kledingstuk van me heeft.'

Karin lacht. 'Ja, natuurlijk! Heet die leuke jongen toevallig Jasper? En waarom komt hij het niet even brengen?'

'Ik weet niet, hij moest weg. Ik neem oma's fiets wel even, dan ben ik zo heen en weer.'

'Lekker gezellig ben jij. Nou, dan pak ik wel een boek. Blijf je niet te lang weg?'

'Welnee, hij is niet eens thuis. Ik moet me melden bij ene Harry. En volgens mij is het ook nog eens jouw trui, dus je mag me wel dankbaar zijn dat ik me opoffer.' Al pratend heeft Herma haar jas aangetrokken en een sjaal omgeknoopt. 'Ik mis m'n handschoenen trouwens ook, misschien liggen die daar ook nog wel. Nou, tot straks.' Even later fietst ze de straat uit.

Tien minuten later belt ze aan bij het studentenhuis waar Jasper woont. Het duurt even, dan wordt de deur opengetrokken en boven aan de trap roept iemand: 'Kom maar even boven, ik ben aan de telefoon.'

Herma loopt de trap op en bovengekomen blijft ze even aarzelend staan. De deur van Jaspers kamer is dicht, maar een andere deur staat half open, het is de deur van de kamer waar Karin en zij hebben geslapen afgelopen weekend. Binnen hoort ze iets, dat zal de bewuste Harry wel zijn. Wat zal ze doen, naar binnen gaan of hier op de gang wachten?

'Hé, zusje van Jasper, kom er maar in, hoor.' De deur gaat nu helemaal open en Herma ziet een lange jongen met donker haar en bruine ogen in de deuropening verschijnen. 'Hé, ben jij wel het zusje van Jasper? Hij had het over z'n kleine zusje, ik dacht dat je twaalf zou zijn of zo.'

Karin lacht zuurzoet. 'Tja, hij vindt zichzelf nou eenmaal vreselijk oud bij ons vergeleken.'

'Ons?'

'Mijn tweelingzus en mij. Wist je niet dat Jasper tweelingzussen heeft? Hij vertelt ook niet veel.'

'Ik woon hier pas een week of zes, dus zoveel weten we nog niet van elkaar. Maar kom verder joh, je komt die trui halen, hè? Wil je wat drinken? Ik heb net koffie gezet.'

Even aarzelt Herma, tenslotte heeft ze Karin beloofd dat ze snel terug zou komen, maar de verleiding is te groot. Harry is leuk! Gewoonlijk trekt Karin de meeste aandacht naar zich toe, ook van de jongens, maar nu is Herma alleen en ze ziet heus wel de belangstellende blik in de ogen van Harry.

'Lekker!' zegt ze daarom.

'Doe je jas even uit dan. Ik heb ook nog handschoenen gevonden, ook van jou?'

'Ja, we hebben wel een spoor achtergelaten in je kamer, hè?

Vond je het niet vervelend dat wij hier sliepen?' Herma is op de enige gemakkelijke stoel die de kamer rijk is gaan zitten. 'Welnee, prima toch. Ik was vanaf de kerstdagen bij mijn ouders in Middelburg. De kamer stond dus toch leeg.' Onderwijl zet hij een beker koffie voor haar neer.

'Middelburg? Ben je een echte Zeeuw?'

'Ja, proef maar, dit eten echte Zeeuwen bij de koffie.' Hij houdt haar een bordje voor waarop een grote, kleverige koek ligt. 'Zeeuwse bolus, ken je dat niet? Nee? Dan moet je zeker eens proeven.' Harry laat zich neerzakken op het bed, een beker koffie in de ene en een bolus in de andere hand. Al gauw zitten ze druk te praten. Als Harry na een halfuurtje vraagt: 'Nog meer koffie?' springt Herma op. 'Nee, bedankt. Ik had m'n zus beloofd direct terug te komen. We vervelen ons vandaag een beetje, zie je.' Terwijl ze haar jas dicht ritst, vertelt ze hem over de kleine teleurstelling dat ze met hun vrienden niet meer die band blijken te hebben die ze vroeger hadden. 'Dat gaat nou eenmaal zo,' zegt Harry. 'Ik merk het ook als ik in Zeeland kom. Vanwege de hoge reiskosten ga ik maar één keer per maand een weekend naar mijn ouders, dus mijn vrienden daar zie ik ook niet zo veel meer. En dan merk je dat je elkaar ontgroeit. Maar jullie zullen in Drenthe toch inmiddels wel weer nieuwe vriendinnen gevonden hebben? En anders toch zeker wel vrienden?' Bij dat laatste zinnetje kijkt hij Herma nadrukkelijk aan.

Ze voelt dat ze een beetje kleurt, haalt haar schouders op en zegt: 'Nou nee, echte vriendinnen niet, en vrienden al helemaal niet. Misschien komt het ook een beetje doordat Karin en ik elkaar hebben. Als ik alleen was, zou ik vast beter m'n best gedaan hebben om ertussen te komen. Maar ze zijn daar echt heel anders, hoor.'

Harry lacht. 'Dat lijkt misschien maar zo, ook door het dialect en zo, maar in wezen blijkt vaak dat er overal leuke en minder leuke mensen rondlopen, of je nu in Amsterdam, Drenthe of

Zeeland komt. Je moet er gewoon je best een beetje voor doen.'
Hij loopt achter haar aan de trap af tot de voordeur. Als ze op de
fiets wil stappen, zegt hij: 'Herma, ik vond het leuk om je te
leren kennen. Jammer dat je morgen al weer weggaat. Zouden
we vanavond niks kunnen afspreken, ergens wat gaan drinken of
zo? Of vindt je oma dat niet goed?'

Herma blijft staan, één been op de trapper. 'Ik zou dat echt heel
erg leuk vinden, maar ja, oma... ik denk niet dat ze het goed
vindt. Dat weet ik eigenlijk wel zeker.'

'Maar jij zou het wel willen dus? Komt goed, ik bedenk wel
wat! Tot vanavond!' Hij lacht breed en steekt z'n hand op, terwijl Herma opstapt en wegfietst.

Met trillende knieën fietst ze naar oma's huis. Daar aangekomen wordt ze opgewacht door een boos kijkende Karin. 'Leuk
ben jij! Zeg je dat je zo heen en weer bent en blijf je vervolgens
uren weg!'

'Nou, uren... dat valt wel mee, hoor.'

'Dus Jasper was er toch?'

'Nee, hij was al weg.'

'Al weg? Waar ben je dan geweest? En waar is m'n trui?'

'O, vergeten!' Herma slaat haar hand voor de mond.

'Vergeten? Waar ben je nou eigenlijk geweest, vertel op!'
Karin trekt haar ongeduldig de kamer binnen.

'Gewoon, naar Jasper, maar hij was er niet en toen deed Harry,
een andere jongen die daar woont – je weet wel, op wiens kamer
we hebben geslapen – de deur open. Daar heb ik even mee zitten kletsen.'

'Nou, even... je bent echt lang weggebleven. Is-tie leuk?'
vraagt ze dan nieuwsgierig.

Herma voelt dat ze een kleur krijgt. 'Erg leuk!' Verder kunnen
ze er niet over praten, want oma komt de kamer in.

'O, meiden, wat heb ik lang geslapen, hè? Dat was niet de
bedoeling, hoor, vonden jullie het erg ongezellig of heb je je wel
een beetje vermaakt?'

'Herma wel!' bromt Karin. Oma hoort het niet, ze is al naar de keuken gelopen om thee te zetten. 'Verder geen plannen meer vandaag, alle vriendinnen gezien?' roept ze vanuit de keuken.

'Nee hoor, oma, verder blijven we vandaag gezellig bij u,' antwoordt Karin.

'Nou, misschien gaan we vanavond nog een uurtje naar iemand toe, mag dat, oma?' vraagt Herma er gelijk overheen. Oma komt de kamer in met de theepot in haar hand. 'Als het een beetje in de buurt is, want ik vind het vervelend als jullie 's avonds nog de halve stad door moeten.'

'Oma, we hebben bijna zestien jaar in Amsterdam gewoond, hoor!' zegt Karin een beetje snibbig. Onderwijl probeert ze Herma's blik te vangen, maar Herma kijkt halsstarrig een andere kant op. Ze begrijpt heel goed dat haar zus wil weten waar ze vanavond naartoe wil, maar dat weet ze zelf ook nog niet. Ze hoopt gewoon dat Harry inderdaad iets zal bedenken waardoor ze elkaar weer zullen zien. De vergeten trui wellicht? Had hij dat al in de gaten toen ze vertrok en komt hij die brengen? Ze zitten net aan de thee als de telefoon gaat. Oma loopt naar het toestel toe en neemt op. 'Ha Jasper... nou, dat is ook dom van haar... Je mag ook hier wel mee-eten... ja, ik vind het best, wacht, ik geef je een van je zusjes. Herma? Goed, tot ziens Jasper, daag.' Ze draait zich om naar Herma, die met gespitste oren heeft meegeluisterd. 'Jasper voor jou, meiske.'

Als Herma de telefoon heeft overgenomen hoort ze haar broer zeggen: 'Nou, je hebt indruk gemaakt, hoor! Heb je wel verteld dat je pas zestien bent?' En als ze geen antwoord geeft, gaat hij verder: 'Oma mag het zeker niet weten, hè, ze vindt je vast veel te jong voor de liefde. Maar ja, ik heb me laten overhalen: hebben Karin en jij zin om vanavond wat te gaan drinken met Harry en mij? Oma vindt het goed en Harry ook.' Dat laatste klinkt plagend.

'Ja natuurlijk, even Karin vragen.' Ze keert zich om naar Karin, die nog steeds met verbazing probeert om het gesprek te volgen. 'Kaar, heb je zin vanavond even met Jasper en Harry de stad in te gaan?' Smekend kijkt ze haar tweelingzus aan, Karin kan soms opeens heel dwars zijn als iets niet naar haar zin gaat. Maar nu haalt ze haar schouders op. 'Mij best.'

Als ze heeft neergelegd, blijkt oma toch echt niet zo naïef als Herma had gedacht. Met een olijke twinkeling in haar stem zegt ze: 'Jaja, gezellig met je broer de stad in, je hebt al een kleur van plezier bij het idee, zie ik.' Maar dan gaat ze ernstig verder: 'Ik weet niet wie die jongen is, maar ik vertrouw erop dat Jasper weet wat hij doet. En maak het niet te laat, hè, anders kan ik jullie ouders niet meer recht in de ogen kijken.' Het valt Herma eigenlijk erg mee dat haar oma zo gemoedelijk reageert. Zouden oudere mensen toch niet zo wereldvreemd zijn als zij soms denkt? Het lijkt wel of oma haar gedachten kan lezen, want ze zegt: 'Je lichaam wordt wel ouder meisjes, bij het klimmen van de jaren en natuurlijk word je, als het goed is, ook wel wijzer door wat ze noemen 'levenservaring', maar je geest blijft net als vroeger, hoor. Toen ik zestien was had ik denk ik een heleboel dezelfde gevoelens en verlangens als jullie nu. En,' gaat ze verder met een glimlach, 'ik ben blij dat Jasper en Karin er vanavond bij zijn om een beetje op je te passen, Herma!'

Het wordt voor Herma een geweldige avond. Als ze later samen met Karin op oma's logeerkamer in bed ligt, raakt ze maar niet uitgepraat over Harry.

'Dat dat zo maar opeens gebeurt, hè!' zegt ze in het donker tegen Karin. 'Ik vind hem zo leuk!'

'Hè,' zegt Karin een beetje sarcastisch, 'dat was me nou nog niet opgevallen! Nu stil hoor, ik wil slapen!'

Herma ligt nog een hele poos wakker. Jammer zeg, dat ze morgen alweer naar huis moeten. Maar ze hebben afgesproken om elkaar te schrijven en Harry kan binnenkort best een weekendje met Jasper meekomen naar Drenthe. Tenslotte neemt Jasper wel vaker vrienden mee. Zou Harry haar net zo leuk vinden als zij hem? Hij is vijf jaar ouder; ze zag dat hij wel even schrok toen hij hoorde dat zij net zestien was geworden. Maar ja, zo heel erg jong is dat toch ook niet, meisjes zijn eerder volwassen dan jongens en...

Dan slaapt ze.

In de weken die volgen komt er een drukke briefwisseling op gang. Herma is helemaal opgefleurd, ze lijkt Amsterdam en haar vriendinnen helemaal niet meer te missen. Karin moppert af en toe: 'Nou zeg, aan jou heb ik ook niet veel meer, je bent brieven aan het schrijven of aan het lezen. En het lijkt wel of je het op school ook opeens naar je zin hebt.'

'Overdrijf niet zo! Maar Harry zei, dat we ons op school wat meer moeten geven, dan komen we er vast beter in en dat is denk ik ook zo. Daarom probeer ik me wat positiever op te stellen in de klas naar de anderen toe en volgens mij werkt dat dus. Maar daarom heb ik het nog niet gelijk geweldig naar m'n zin, hoor. Maar neem nou Gerdine, dat is eigenlijk best een leuke meid, dat merk je als je wat meer met haar praat.'

Karin haalt de schouders op. 'Ik merk er nog niks van,' moppert ze, 'en ik heb ook helemaal geen zin om er energie in te steken. Over twee jaar zijn we van die school af en dan ga ik onmiddellijk terug naar Amsterdam. Het maakt me niet uit wat ik ga studeren, als het maar in Amsterdam is.'

Herma geeft geen antwoord, haar aandacht is op haar moeder gericht, die de telefoon heeft aangenomen en nu zegt: 'Tuurlijk, prima Jasper, neem die jongen maar eens mee. Ja, tot vrijdag, dag!'

'Was dat Jasper? Komt Harry dit weekend mee?'

'Dat bedoel ik nou,' mompelt Karin, 'je hoort mij niet eens meer!'

Herma kan bijna niet wachten tot het vrijdag wordt. Hoe zou het zijn, zal ze hem niet tegenvallen? En hoe gaat het verder, wordt het verkering of ziet hij haar toch meer als het kleine zusje van z'n kamergenoot? Ze schelen maar vijf jaar, dat is niet zo vreselijk veel, maar ze beseft wel dat ze in heel verschillende werelden leven. Hij is student, woont al een paar jaar op kamers, en zij is toch nog een schoolmeisje dat thuis bij haar ouders woont. Z'n brieven zijn leuk en hij zet er 'lieve Herma' boven, maar betekent dat iets? Keer op keer begint ze erover tegen Karin, maar die heeft niet veel geduld. 'Wacht gewoon maar af, dan zie je het vanzelf. En laat vooral niet merken dat je wanhopig bent.'

'Ik ben helemaal niet wanhopig, maar ik vind hem zo leuk, begrijp je dat niet?'

'Nee,' zegt Karin eerlijk, 'daar begrijp ik echt niks van. Het is een leuke knul, maar niet bijzonder.'

'Gelukkig maar, anders hadden we een probleem.'

Maar eindelijk wordt het toch vrijdag en komen de twee studenten aan. Al snel is het voor ieder duidelijk dat Harry niet bepaald voor Jasper is meegekomen, maar alleen aandacht heeft voor Herma. Zondagmiddag gaan ze samen een eind wandelen en als ze, met de armen stevig om elkaar heen geslagen terugkomen, straalt Herma.

'Woonden jullie nog maar in Amsterdam!' verzucht Harry als ze aan de thee zitten.

Maar Herma's vader is het niet met hem eens. 'Dit is misschien wel beter. Jij kunt je tijd goed aan je studie besteden, Herma moet zelfs eerst haar middelbare school nog afmaken, dus door de week zijn jullie druk genoeg. Je kunt elkaar schrijven en je mag natuurlijk geregeld een weekend hier komen, maar doe het verder nog maar rustig aan.'

Herma is het helemaal niet met hem eens, maar ze weet dat hij wel gelijk heeft. 'Hoe vaak kun je dan komen, elk weekend?' Ze kijkt schuin van haar vader naar Harry.

Harry pakt haar hand. 'Dat zal niet gaan, het is een hele hap reisgeld voor een arme student en ook probeer ik zo ongeveer één keer per maand naar mijn ouders te gaan. Maar misschien kun je binnenkort wel een keer mee daarnaartoe?'

Nu bemoeit ook moeder Hanny zich ermee. 'Nou, een weekendje van Drenthe naar Zeeland? Dat lijkt me meer iets voor in een vakantie, toch?'

Herma knikt, ach, voorlopig is ze al helemaal gelukkig dat Harry net zo verliefd is op haar als zij op hem. De rest komt wel goed. Toch is ze stil als de jongens weer vertrokken zijn. Ze neemt zich voor om in elk geval hard te werken op school, zodat ze niet blijft zitten of in de zesde klas zal zakken. Des te eerder kan ook zij naar Amsterdam. Want dat haar toekomst bij Harry ligt, daarvan is ze overtuigd!

Langzaam doet ze haar ogen open. Boven zich ziet ze een wit plafond, voorzichtig draait ze haar ogen opzij. Witte muren, gordijnen. Waar is ze? Dan ziet ze de man, hij buigt zich over haar heen. Er staan tranen in zijn ogen. 'Herma!.' Herma? Is zij dat? Het klinkt bekend. Ze sluit haar ogen weer. Herma, herhaalt ze zacht in zichzelf. Het woord voelt goed.

2

Zo gaan de maanden voorbij. Langzamerhand voelen Herma en ook Karin zich steeds meer thuis op school en in het stadje. In een naburig dorp blijkt een volleybalvereniging te zijn, waarbij ze zich hebben aangesloten en zo leren ze weer wat jongelui van hun leeftijd kennen. Maar echte vrienden of vriendinnen hebben ze nog steeds niet. Ze fietsen samen van en naar school, gaan samen sporten en maken samen hun huiswerk. Een enkele keer worden ze uitgenodigd voor een verjaardagsfeestje, maar ook daar gaan ze weer samen naartoe en komen ze samen terug.

'Leuk, maar op deze manier leer je ook nooit andere mensen kennen,' zegt Harry tegen Herma, als hij weer eens een weekend bij de familie Vos logeert.

'Ik heb verder niemand nodig. Ik heb jou en Karin, school en m'n sport, wat moet ik verder dan nog? Nee hoor, ik vind het prima zo.'

Met Harry en haar is het nog steeds aan. Hij komt meestal één keer per maand, ze schrijven elkaar een paar keer per week en af en toe belt hij haar vanuit de telefooncel op. Eigenlijk zou Herma willen dat ze hem vaker zag, maar dat is gewoon niet haalbaar. Harry's brieven zijn meestal kort, hij is niet zo'n schrijver en hij is druk met z'n studie, de studentenvereniging en de roeivereniging waarvan hij lid is. Maar de weekenden dat ze elkaar zien, maken veel goed voor Herma. Twijfelt ze af en toe aan de houdbaarheid van hun relatie, na zo'n weekend heeft ze er weer alle vertrouwen in. In de paasvakantie gaat ze een lang weekend met Harry mee naar zijn familie in Zeeland. Het bezoek valt haar niet mee; de ouders van Harry spreken een dialect dat ze nauwelijks begrijpt en ze doen ook geen moeite om zich beter verstaanbaar te maken. Wel begrijpt Herma uit een opmerking van Harry's moeder heel goed dat ze haar eigenlijk veel te jong vinden voor Harry. Al met al is ze blij als ze weer in de trein zit, richting het noordoosten.

In de zomervakantie gaat Harry twee maanden naar Zeeland. Hij heeft daar een vakantiebaan in Domburg als strandwacht. Hij moet zes dagen per week werken, alleen de zondag is hij vrij. Het geld dat hij daarmee verdient, is hard nodig om zijn studie te betalen. Zijn ouders, die een klein landbouwbedrijfje hebben, kunnen de studies van hun zes kinderen niet bekostigen.

'Op zich een leuke baan, hoor, het heeft alleen de consequentie dat ik onmogelijk naar jou kan komen in juli en augustus. Maar misschien kun jij een weekend hiernaartoe komen en bij mijn ouders logeren?' stelt Harry voor als hij half juni een weekend bij Herma is. Het is zondagmiddag en heerlijk weer, samen lopen ze in het bos.

Herma haalt haar schouders op. 'Daar heb ik ook niet veel aan, als jij alleen zondags vrij bent. En dan moet je waarschijnlijk ook nog twee keer naar de kerk, wat spreek ik je dan? En je ouders zitten ook niet echt op me te wachten. Kun jij dan niet één keer een paar dagen vrij nemen?'

'Nee, dat gaat echt niet,' zegt Harry een beetje kortaf. 'Er zitten er genoeg op mijn baantje te loeren en ik ben al niet flexibel voor mijn baas omdat ik niet op zondag wil werken, dus ik ga niet nog meer gunsten vragen. Trouwens, ik heb dat geld echt hard nodig, Herma, bij mij thuis is het allemaal een stuk krapper dan bij jullie, hoor.'

Herma geeft geen antwoord, wat zal ze ook kunnen zeggen? Ze weet dat hij gelijk heeft, maar het is niet leuk. 'Zit ik straks de hele zomervakantie alleen in Drenthe, bah!' mompelt ze in zichzelf.

'Wat loop je nou zachtjes te mopperen?' Harry slaat een arm om haar heen. 'Kom op, je gaat heerlijk met je ouders en Karin twee weken naar Duitsland en je gaat vast nog wel in Amsterdam logeren bij de een of ander, toch? Dus zo'n beroerde zomer heb je niet voor je. En waarom zoek je ook niet een vakantiebaantje, als je zo bang bent dat je je verveelt?'

'Ik zou niet weten wat! In dit gat is toch niks te doen.'

'Ja, dan weet ik het ook niet, hoor. Eind augustus ben ik klaar, misschien kan ik proberen dan toch een paar dagen eerder te stoppen, zodat we nog een paar dagen samen weg kunnen.'

'Dat vinden mijn ouders toch niet goed.'

'Ik bedoel een paar uitstapjes van een dag, dan logeer ik bij jullie of jij bij je oma in Amsterdam en doen we van daaruit wat leuks, goed?'

Herma blijft opeens staan en slaat twee armen om zijn nek. 'Wat ben je toch een schat!' zegt ze. 'Baal je nooit dat je verkering hebt met zo'n baby van zestien, die nog jaren thuis woont en naar haar paps en mams moet luisteren?'

'Welnee, je wordt elke dag ouder, hoor!' grapt Harry, maar dan gaat hij wat serieuzer verder: 'Natuurlijk zou het allemaal wat gemakkelijker zijn als je twintig was, maar aan de andere kant: ik moet ook nog een jaar of twee, drie studeren. Tegen die tijd ben jij al achttien en dat klinkt al weer heel anders! En ik houd van je Herma, ik heb het er wel voor over om op je te wachten.'

Met de armen stevig om elkaar heen geslagen komen ze thuis. En opeens lijken die twee zomermaanden ook niet zo vreselijk meer, vindt Herma.

Het is eind juli, Herma en Karin fietsen van het zwembad naar huis. Het was heerlijk weer, maar tegen de middag begonnen er wolken over te drijven en werd het opeens kouder. Als ze halverwege zijn zegt Herma opeens: 'Kaar, waar heb jij je tas eigenlijk?'

Karins hand gaat naar achter, ze voelt aan de lege bagagedrager en remt abrupt. 'Oh, vergeten! Natuurlijk toen ik m'n band heb opgepompt, daar kom je ook lekker snel mee, zeg.'

'Ja, nou is het zeker mijn schuld! Wees blij dat ik het nu zie en niet straks als we thuis zijn. Wat doen we, gelijk maar terug?'

'Ik ga wel terug, het is onzin om met z'n tweeën te gaan, moet je kijken wat een lucht. Het gaat vast zo gieten. Rij jij maar door, ik sjees wel even terug.' Karin keert haar fiets om, stapt weer op en rijdt in de tegenovergestelde richting weg. Herma stapt ook weer op en als zij verder rijdt, komt opeens iemand naast haar fietsen. 'Hé, gaat Karin weer terug?'

'Hoi Gerdine! Ja, haar tas staat nog in de fietsenstalling van het zwembad.'

'O, Mark, m'n broer, heeft hem al meegenomen. Hij zag de tas staan en heeft erin gekeken of er een adres in zat, maar hij kon niks vinden. Toen hij hem wilde afgeven bij de kassa van het zwembad zeiden ze daar dat hij hem beter bij de politiepost kan brengen, dus daar zal hij nu wel naartoe zijn.'

'Tja, dan rijdt ze voor niks. Nou ja, het heeft ook geen zin meer om er weer achteraan te crossen. Ze komt vanzelf terug, dan heb ik in elk geval goed nieuws voor haar; bedank je broer maar alvast.'

'Zal ik doen, ik moet hier rechtsaf. Ik ga snel, want ik moet nog aan het werk.'

'Aan het werk? Heb je een vakantiebaantje?' vraagt Herma.

'Nou, vakantiebaantje… nee, zo zou ik het niet willen noemen. We hebben thuis een paardenfokkerij en manege. Er is dus voor ons altijd werk aan de winkel. Houd jij van paarden? Heb je weleens gereden?'

'Nee, eigenlijk niet. Ja, als klein grietje ben ik eens naar een ponykamp geweest, ik vind het wel prachtige beesten.'

'Nou, als je zin hebt kom je maar eens kijken. En werk hebben

we ook nog wel voor je, kun je een rijlesje verdienen!'
'Meen je dat nou? Vinden je ouders dat goed?'
'Tuurlijk. Morgen wat te doen? Een uur of twee?'
'Ja leuk, als jij zeker weet dat het goed is.'
'Ja hoor, gaan we de stallen uitmesten, altijd goed dus,' lacht Gerdine, 'maar nu ga ik echt, hoor, ik heb beloofd vandaag ook te helpen, dag!'

In gedachten rijdt Herma langzaam naar huis. Ze zit al een jaar bij Gerdine in de klas en ze wist niks van haar. Harry heeft gelijk: het is hun eigen schuld dat ze zo weinig aansluiting hebben, ze hebben zich nooit verdiept in hun klasgenoten.

De volgende dagen is Herma dikwijls te vinden op de manege. Ze mest stallen uit, roskamt de paarden en rijdt haar eerste rondjes op een mak paard. Ze geniet ervan. Gerdine heeft Karin ook uitgenodigd te komen, maar zij heeft geen interesse, dus gaat Herma alleen.

Door de familie van Gerdine is ze al snel opgenomen en ze voelt zich er helemaal thuis. Behalve Gerdine, die net als zij zestien is, hebben ze nog een dochter van dertien, Joke, en twee jongens: Mark van achttien en Tim van eenentwintig. Joke ziet ze niet zoveel, ze gaat van de ene logeerpartij naar de andere: oma's, opa's, ooms en tantes. Ook Tim heeft ze nog nooit ontmoet, hij studeert in Groningen en heeft daar tijdens de zomermaanden een vakantiebaan. Maar Mark en Gerdine zijn dagelijks bij de paarden te vinden.

Ze werken hard maar ze hebben ze ook veel plezier met elkaar. Een paar keer probeert Herma nog om Karin mee te krijgen, maar Karin heeft geen zin. Het is deze zomervakantie eigenlijk voor het eerst dat de tweelingzussen zo weinig met elkaar optrekken. Maar Herma gaat zo op in haar nieuwe werk en vrienden, dat ze het nauwelijks merkt. 's Avonds aan tafel gaan ook al haar verhalen over de paarden en de familie Van Lingen.

'Ik zou er gaan wonen als ik jou was!' valt Karin op een keer uit, als Herma alweer aan het vertellen is. Verschrikt houdt Herma haar mond en kijkt haar zus aan.

'Ja,' gaat Karin verder, 'denk je dat het voor ons leuk is, altijd maar die paardenverhalen en Gerdine dit en Mark dat. Ik zit elke dag hier een beetje in m'n eentje, gezellig hoor!'

'Dat wil je toch zelf? Ga dan ook eens een keer mee.'

'Nee, dank je, ik blijf liever hier.'

Later denkt Herma er nog eens over na. Is Karin jaloers? Maar dat is toch onzin, ze kan meegaan, maar dat wil ze niet. Harry had gelijk toen hij zei dat ze hun best moeten doen om mensen te leren kennen. Harry... Ze realiseert zich opeens dat ze deze week nog niet heeft geschreven. Het is al zaterdag, meestal schrijft ze hem zondags en woensdags, maar na de laatste zondag is het er nog niet van gekomen. Gelijk doen vanavond! Maar voor ze zover is gekomen, gaat de telefoon al. Het is Harry.

'Je bent toch niet ziek?' vraagt hij bezorgd, 'ik heb je brief gemist.'

Ze weet eigenlijk niet goed wat ze moet antwoorden. Vergeten? Dat klinkt niet echt aardig, maar eigenlijk is het wel de waarheid.

'Ik wilde net gaan schrijven, ik heb het echt zo druk gehad deze week. Ik heb elke dag gewerkt, het is er gewoon bij ingeschoten.' Het blijft even stil aan de andere kant van de lijn. 'Alles wel goed?' vraagt Harry dan. 'Ik wist trouwens niet dat je een baantje had, daar heb je niks over geschreven.'

'Het is eigenlijk ook geen echte baan, ik ga elke dag helpen bij Gerdine, een meisje uit m'n klas. Zij hebben thuis een manege, dus ik help bij de paarden en af en toe mag ik ook rijden. Het is echt zo leuk, Har!'

Ze hoort hem grinniken als hij zegt: 'Dus een paard is mijn concurrent, lekker is dat. En volgende week ga je op vakantie, dan worden de brieven helemaal schaars zeker?'

'Echt niet! Dan heb ik alle tijd om te schrijven.'

'Ik plaag je maar, als je in Duitsland zit met je familie hoef je echt niet twee keer per week te schrijven, hoor. Maar ik zou het wel fijn vinden als je daarna toch een weekend naar Zeeland komt.'

'Ik kijk nog wel, goed?' Ze heeft er echt geen zin in. Hoezeer ze ook naar Harry verlangt, een heel weekend bij die familie van hem, nee, daar past ze voor!

'Volgens mij mis ik jou meer dan jij mij...' hoort ze Harry wat spijtig zeggen.

'Ik mis jou natuurlijk ook!' haast ze zich te zeggen, 'maar het is gewoon even niet anders. Jij wilt per se zo lang werken, je weet dat je zelfs met ons mee kon op vakantie.'

'Onzin! Je weet dat ik moet werken, Herma!' zegt hij wat kort-af. 'Nou, ik bel voor je op vakantie gaat nog wel even. Binnenkort krijgen mijn ouders eindelijk telefoon, dan hoef ik niet meer elke keer naar een telefooncel te gaan en kunnen we elkaar wat vaker spreken.' Nu klinkt zijn stem weer zachter. 'Geniet van je paarden en ik kijk uit naar de volgende brief.'

'Mamma?' Ze heeft gedroomd. Mamma en pappa stonden bij haar bed, ze zongen 'lang zullen ze leven'. Karin en zij waren jarig. Hoe oud zijn ze nu? Ze weet het niet. Ze probeerde de kaarsjes op de taart te tellen. Het lukte niet. Karin weet het vast wel.

Ze doet haar ogen open, 'Karin, hoeveel...?'

De man staat er weer. En nog een man, hij heeft een witte jas aan.

'Daar is ze weer,' zegt de laatste man. 'Herma, heb je lekker geslapen?'

'Kaarsjes...' zegt ze, dan doet ze haar ogen weer dicht. Ze is moe, zo moe. Ze wil niet praten met die mannen. Haar hoofd doet pijn en er zit een slangetje in haar neus, het voelt naar.

3

Het is half september en de school is al weer even begonnen. Herma en Karin zijn allebei overgegaan naar de vijfde klas van het atheneum en ze moeten er dit jaar flink tegenaan. De leraren houden hen voor dat de vijfde klas het zwaarst is en dat er dus hard gewerkt zal moeten worden. Herma trekt nog steeds veel op met Gerdine, al heeft ze natuurlijk niet zo veel tijd meer om met de paarden bezig te zijn als in de vakantie. Wel zijn de twee zussen serieus aan rijlessen begonnen, ook Karin heeft er nu plezier in gekregen. Elke zaterdag fietsen ze samen naar de manege. Zo gaat ook Karin langzamerhand steeds vaker naar de familie Van Lingen en al snel merkt Herma dat haar tweelingzus wel heel erg geïnteresseerd is in Mark. En die interesse blijkt wederzijds: al gauw is het dik aan met die twee.

Herma is soms weleens een beetje jaloers; Karin boft met haar vriendje zo dicht in de buurt. Mark volgt een hbo-opleiding in Assen, maar hij woont nog thuis. Dat is met haar en Harry wel even anders. Ze zien elkaar nog steeds niet elk weekend. Het lijkt bovendien wel of er na de zomer iets veranderd is in hun relatie. Ze weet dat Harry teleurgesteld was omdat ze geen weekend naar Zeeland is gekomen tijdens die vakantie. Eind augustus is hij, voordat hij weer naar Amsterdam ging, een paar dagen naar Drenthe gekomen, maar het is anders tussen hen. Ze weet dat het waarschijnlijk aan haar ligt, ze is gewoon niet meer zo verliefd als in het begin. Voordat Harry weer vertrok, hebben ze een lang gesprek gehad, want natuurlijk voelde hij ook wel dat het niet meer was zoals in het begin.

'Houd je nog wel van me?' heeft hij gevraagd.

'Natuurlijk, hartstikke veel!' en op dat moment meende ze dat ook van harte. Dat is het gekke: als ze bij hem is, vallen alle twijfels weg, maar als hij er niet is lijkt het allemaal niet meer zo zeker. Als het eerst maar herfstvakantie is, dan gaat ze een weekje bij oma logeren en dan zien ze elkaar dagelijks. Tot die tijd is ze druk met school en zaterdags met de paarden.

Maar ook de herfstvakantie valt tegen. Harry zit juist voor een paar tentamens en hij heeft echt geen tijd om hele dagen met Herma op te trekken. Zodoende zit ze veel alleen bij oma, die het wel gezellig vindt dat haar ene kleindochter er is. Karin is thuisgebleven, zij voorzag dat Herma voortdurend met Harry op stap zou gaan en zij dus degene zou zijn die alleen achter zou blijven bij oma.

Ook de oude vriendengroep laat zich weinig zien. Eén middag gaat ze winkelen met Elize, een meisje uit haar oude klas, maar verder ziet ze niemand. Met Harry gaat ze op woensdagmiddag naar Zandvoort. Het is heerlijk weer: een harde wind en zon. Ze maken een lange strandwandeling en daarna eten ze in een klein restaurantje.

'Morgen moet ik echt de hele dag studeren, hoor Herma, dus voorlopig was dit het weer even. Maar over twee weken kom ik het weekend weer naar jou toe, oké?' zegt hij als ze later vanaf de tramhalte naar het huis van oma lopen.

'Maar morgen is mijn laatste dag hier! Vrijdagochtend ga ik weer naar huis.'

'Ik kom morgenavond nog even een uurtje bij je oma langs om je gedag te zeggen, goed? Maar verder heb ik mijn tijd echt nodig, vrijdagochtend heb ik een belangrijk tentamen en ik ben er nog niet klaar voor.'

Herma geeft geen antwoord, haar gezicht staat strak.

'Hé, kom op meisje, ik zou ook liever bij jou zijn. Maar dit moet echt. Het is tenslotte voor onze toekomst, moet je maar denken. Hoe eerder ik klaar ben, des te eerder kan ik aan het werk en sparen voor later, toch?'

Herma zegt nog steeds niks, ze haalt haar schouders op.

Harry slaat een arm stevig om haar schouder. 'Herma?'

'Ik vind dat je overdrijft, hoor, wat maakt die ene dag nou uit. Wat is er belangrijker: een tentamen of ik?'

Ze hoort hem zuchten. 'Morgen is dat tentamen belangrijker, alle andere dagen jij.' Dan zijn ze bij oma's huis aangekomen. 'Nou, ik zie wel of je morgen nog tijd voor me hebt, ik ben de hele dag thuis.' Ze kust hem snel en loopt van hem weg, zonder zijn reactie af te wachten.

De volgende dag hangt ze de hele dag maar wat rond in huis. Als haar oma vraagt of ze zin heeft om mee te gaan naar de winkel, schudt ze het hoofd. 'Nee, misschien komt Harry me nog ophalen, ik blijf liever hier als u het niet erg vindt.' Zo gaat de dag voorbij. Herma windt zich steeds meer op, hij komt dus echt niet. Na haar koele afscheid gisteravond had ze eigenlijk verwacht dat hij zich zou bedenken en toch nog zou komen of opbellen, maar nee dus! Blijkbaar is z'n studie toch belangrijker dan zij. Om acht uur heeft ze nog niks gehoord. Om kwart over acht gaat de telefoon, maar het is Harry niet, het is Elize, die vraagt of ze zin heeft nog even mee te gaan naar een andere oudklasgenoot. Zonder een moment te twijfelen stemt Herma toe en spreekt ze met Elize af dat die haar over een kwartiertje zal komen ophalen.

'Komt Harry niet?' vraagt oma verwonderd. 'Morgenochtend ga je immers al weer weg?'

'Hij had geen tijd en ik ga niet zitten wachten tot hij misschien nog eens komt opdagen.'

Maar juist als ze bij Elize achter op de fiets springt, komt Harry eraan. Hij kijkt verbaasd en vraagt dan: 'Hé, waar gaat dat naartoe, wat drinken in de stad? Dan ga ik nog even mee.'

'Nee, we wilden even bij iemand van school langs,' zegt Elize terwijl ze van de fiets stapt, 'nou, dan ga ik wel alleen.'

'Nee hoor, we hebben toch afgesproken, ik ga mee.'

Zowel Harry als Elize kijken Herma zwijgend aan. 'Nou ja, wat jij wilt,' zegt Elize dan schouderophalend, maar ze kijkt schuin naar Harry hoe die zal reageren.

'Inderdaad, wat jij wilt, Herma.' Hij kijkt Herma aan, maar ze kijkt van hem weg.

'Nou, rijden dan maar, hè?' Ze probeert het luchtig te zeggen, maar haar stem trilt.

Even aarzelt Elize, dan stapt ze op. Herma springt achterop en laat Harry staan. Maar als ze twee straten verder zijn, roept Herma: 'Elies, stop eens!' Zelf is ze al van de bagagedrager gesprongen. 'Ik lijk wel niet wijs, hè? Sorry, ik ga terug. Sorry, sorry!'

Elize lacht. 'Dat kun je beter tegen hem zeggen, inderdaad, je leek wel niet goed snik. Je laat hem gewoon staan, ik denk niet dat hij dat zal waarderen. Ga maar gauw terug en maak het goed, zal ik je brengen?'

'Nee, ik loop wel. Hij zal bij oma binnen zitten, dus die paar minuten maken ook niet meer uit. Bedankt.' Vlug draait ze zich om en loopt terug. Maar als ze in de straat van oma komt, ziet ze niemand buiten staan en ook bij oma binnen is het stil.

'Ben je er nu al weer? Was dat meisje niet thuis?' vraagt haar oma verwonderd.

'Ik ben niet geweest, is Harry nog geweest?'

'Nee, zou hij nog komen dan?'

Herma haalt de schouders op. 'Misschien, hij moest nogal veel leren vandaag. Mag ik uw fiets nemen en dan nog even naar hem toe? Dan kan ik gelijk Jasper even gedag zeggen.'

'Jaja, dat laatste vind je zeker erg belangrijk,' zegt oma fijntjes. 'Maar je mag mijn fiets gebruiken, hoor, maak het alleen niet te laat. Ik vind het niet zo prettig als je uren bij hem alleen op die kamer zit. Dat zeg ik je eerlijk, maar dat zal wel ouderwets zijn.'

'We doen heus niks, hoor!' Herma krijgt een beetje een kleur. 'Harry benadrukt wat dat betreft voortdurend dat ik 'nog maar' zestien ben. Hij is soms zo vreselijk degelijk!'

'Dat pleit alleen maar voor hem, tegenwoordig schijnt dat allemaal zo vrij en gemakkelijk te zijn tussen de jongelui.'

'U zei vorig jaar eens dat de mensen niet veranderen, maar de tijd waarin we leven. Dus zal er vroeger, in die goeie ouwe tijd, wel hetzelfde gebeurd zijn als nu. Het ging alleen stiekemer, ze knepen de kat in het donker.'

'Natuurlijk gebeurde er vroeger ook van alles, de mensen waren toen echt niet beter. Maar de vrije manier waarop tegenwoordig dikwijls gesproken wordt over seksualtiteit, dat gaat me soms toch wel te ver, hoor. Alleen het woord al: dat kenden we vroeger nauwelijks, laat staan dat je het uitsprak. Dus zo achterlijk is je oma nog niet, toch?' Bij die laatste vraag glimlacht oma, maar gaat dan verder: 'Om een lang verhaal kort te maken, ga jij maar naar je vriendje toe, maar blijf niet te lang weg, ook al is het dan al eind jaren zeventig en zijn we niet bekrompen meer. Trouwens, ik vind het ook niet fijn als je zo laat alleen over straat gaat. Wat dat betreft wordt de tijd steeds beroerder, zeker hier in de stad.'

Herma heeft ondertussen haar jas al aangetrokken en half in de deuropening zegt ze nog: 'Ja oma, goed oma, tot straks. Over een uurtje ben ik er weer, is dat goed?' Dan is ze de deur al uit.

Opeens heeft ze haast. Ze moet het goedmaken met Harry, ook al vindt ze nog steeds dat ze eigenlijk gelijk had. Toch heeft ze het gevoel dat ze te ver is gegaan door gewoon weg te rijden en hem te laten staan.

Tien minuten later belt ze aan. Het duurt even, dan gaat de deur open. Ze loopt snel de trap op, het is donker in het trapgat, maar boven ziet ze iemand staan. 'Harry?'

'Hé zusje, nee, ik ben Harry niet. Je zult het met je grote broer moeten doen. Kom je me even gedag zeggen? Dat is aardig! Maar ik begrijp het eigenlijk niet, Harry zei een halfuur geleden dat hij naar jou toe ging. Ben je hem niet tegengekomen?'

Herma staat nu boven aan de trap. 'Is hij nog niet terug dan?' vraagt ze.

'Terug? Hoe bedoel je, is hij wel geweest?'

'Nee, laat maar.' Ze begint langzaam de trap weer af te lopen.

'Herma! Wacht nou eens even, wat is er nou precies aan de hand?' Met een paar sprongen heeft Jasper haar ingehaald.

Halverwege de trap staat Herma stil. 'Ik ben stom geweest, ik heb hem laten staan, omdat hij nu pas kwam en niet vandaag overdag.'

'Maar hij heeft de hele dag zitten studeren, morgen heeft hij een belangrijk tentamen. Dat moet hij echt halen, wist je dat niet?'

Half beschaamd knikt ze, maar een beetje koppig zegt ze dan: 'Voor mij is het toch ook niet leuk, dat ik hem dan helemaal niet zie. Hij kan toch ook wel een beetje aan mij denken?'

'Wat ben je toch nog een kind! Denk je dat hij niet liever iets gezelligs met jou zou gaan doen dan de hele dag met z'n neus in de boeken te zitten? Je bent mijn eigen zus, maar af en toe denk ik weleens: wat moet hij met zo'n jong kind!'

'Bedankt!' Huilend loopt Herma verder de trap af, maar weer komt Jasper achter haar aan. 'Nou, kom op, ik zeg het misschien niet zo handig, maar broers zijn daar nooit zo goed in. Ik meen het goed, hoor! Maar denk eens wat meer aan hem, ga eens mee naar Zeeland of zo, dat is voor hem toch ook leuker.'

Ze staan nu beneden voor de voordeur in het kleine halletje. Onhandig slaat Jasper z'n arm om Herma's schouder. 'Nou, niet meer huilen, ga maar terug naar oma. Die vent komt zo hier wel opdagen en dan stuur ik hem jouw kant nog wel even uit. Ik zal zeggen dat je spijt hebt, oké? Trouwens, misschien zit hij allang daar op je te wachten. Hij is bepaald niet haatdragend, dus waarschijnlijk is hij het al weer vergeten.' Hij geeft haar een duwtje in de rug. 'Hup, op oma's fiets! Wat zie ik nou, niet eens op slot gezet? Dat is goed afgelopen! Dag!'

Herma fietst terug, maar als ze binnenstapt ziet ze alleen oma's grijze hoofd boven de krant. Geen Harry, ach, dat had ze ook eigenlijk niet verwacht, waarom zou hij? Maar ze hoopt dat Jasper hem zo nog vraagt om langs te komen.

'Jij bent snel terug, was hij er niet?' vraagt oma.

'Nee, alleen Jasper was thuis. Als Harry zo thuiskomt, zou hij hem vragen nog even hierlangs te komen.' Ze ziet dat oma onderzoekend naar haar kijkt, natuurlijk, ze heeft nog huilogen.

'Ruzie gehad met Harry?'

'Zoiets, ja.'

'Wil je erover praten?' Meer vraagt oma niet. Herma schudt het hoofd. 'Liever niet.' Ze pakt een boek en probeert te lezen, maar steeds gaan haar ogen naar de klok. Het wordt steeds later, maar Harry komt niet.

Tegen elf uur staat oma op, 'Ik ga zo eens naar bed kind, dat moest jij ook maar doen. Ik denk niet dat hij nog komt, hè?' Herma schudt het hoofd, toch blijft ze nog een hele poos zitten. Als oma allang boven is, doet ze de lampen uit en gaat zachtjes ook de trap op. Als ze in bed ligt, kan ze niet slapen. Steeds hoort ze Jaspers woorden weer: 'wat moet hij met zo'n jong kind' en 'denk eens wat meer aan hem'. Passen ze eigenlijk wel bij elkaar? Is hij niet te oud, te volwassen voor haar? Ze vindt hem leuk, maar zijn familie ontmoeten, dat hoeft voor haar niet zo nodig. En zo zijn er wel vaker dingen die hij belangrijk vindt, maar zij absoluut niet, en omgekeerd. Lekker de stad in, een beetje winkelen, daar geeft hij nou weer helemaal niks om. Soms vindt ze hem wel een beetje stijf, een beetje ouwelijk, maar aan de andere kant is hij ook weer zo lief en zo leuk om te zien met z'n bruine ogen en zwarte haren. Ze zucht en draait zich om en om in haar bed. Nou, met een beetje pech hoeft ze niet meer te denken of ze bij elkaar passen. Wellicht heeft hij er na vanavond helemaal genoeg van en is het over en uit. Hij is wel koppig hoor, om helemaal niet meer langs te komen. Hij kon toch weten dat ze het allemaal niet zo meende vanavond?

Zo gaan haar gedachten heen en weer, maar ten slotte valt ze in slaap met de gedachte dat Harry vast morgen wel bij het station staat als ze weggaat. Hij weet tenslotte welke trein ze neemt en hij vindt het vast ook heel belangrijk om het weer goed te maken, zeker als hij Jasper heeft gesproken. Daar zal zelfs z'n tentamen voor moeten wijken, als dat niet zo is, weet ze zeker dat dat stomme tentamen belangrijker is dan zij!

De volgende morgen is Harry niet op het station en somber reist Herma naar huis. Daar is het ook al saai. Karin is bij de familie Van Lingen en mamma is druk in de apotheek die bij de praktijk van pappa hoort. Herma hangt een beetje rond tot iedereen tegen etenstijd binnenkomt.

'En, leuk gehad?' vraagt haar moeder. Herma mompelt maar wat.

'Ruzie gehad met je liefie,' bemoeit Karin zich met het gesprek, 'of met oma?'

'Ik had nauwelijks kans om ruzie te maken, ik heb Harry bijna niet gezien.'

'Hoe kwam dat, had hij het te druk met de studie?' vraagt haar vader nu. Herma knikt, 'Ja, die studie is blijkbaar belangrijker dan ik ben. Hij had vanochtend een tentamen, daarvoor moest alles wijken, ik dus ook.'

'Het is een serieuze knaap, wees er maar blij mee!' vindt vader Kees.

'Pfff! Af en toe is het echt zo'n ouwe vent! Wat minder serieus mag wel, hoor.'

'Ja meisje, op jullie leeftijd is vijfenhalf jaar verschil best heel wat, daar zul je toch een beetje rekening mee moeten houden.'

'Mamma en u schelen ook vijf jaar en dat is toch ook geen probleem?'

'Nee, maar wij waren al wat ouder toen we elkaar ontmoetten. Ik was al een ouwe kerel van bijna dertig en mamma was vierentwintig, dan is het toch heel anders.'

Herma zegt niks meer; de hele avond wacht ze op een telefoontje van Harry. Maar ze wacht tevergeefs. Ze heeft in elk geval tijd genoeg om na te denken en daar wordt ze niet vrolijker van. Natuurlijk heeft Harry genoeg van haar en dat is haar eigen schuld.

Als hij de volgende dag toch nog opbelt is ze zo blij dat ze begint te huilen als ze zijn stem hoort. 'Het spijt me zo, Har! Ik ben nog teruggekomen donderdagavond, maar je was al weg en ik ben ook nog bij Jasper geweest, heeft hij dat gezegd? Het was echt stom van me, ben je nog boos?'

'Nee, boos niet. Hoewel ik op het moment dat je achter op die fiets sprong en wegreed er behoorlijk de balen van had. Dat is nu wel weer gezakt, maar ik vind het wel jammer dat je zo weinig rekening met mij houdt. Dat was deze zomer al, toen ik twee maanden in Zeeland was. Ik was erg teleurgesteld dat je toen niet bereid was om één weekendje te komen. En deze afgelopen dagen eiste je ook alle tijd op, terwijl je weet dat ik die niet kan geven vanwege mijn studie. Soms heb ik mijn twijfels, Herma, of jij het allemaal wel vol kunt houden. Want ook de komende winter kan ik niet zo vaak naar Drenthe komen als ik wel zou willen, het is weer een druk jaar en je weet: eens per maand wil ik naar Zeeland, waar jij ook altijd welkom bent, trouwens.' Het blijft even stil, Herma weet niet wat ze zeggen moet, tranen lopen over haar wangen. Dan zegt ze: 'Dus eigenlijk wil je er een eind aan maken?'

'Zeker niet! Dit is eigenlijk ook niet zo'n geschikt onderwerp om per telefoon te bespreken, maar het zit mij niet lekker. Ik wil gewoon dat jij er eens goed over nadenkt, dan kunnen we er rustig over praten als ik volgende week kom, oké? Maar wees eerlijk voor jezelf! Ik ga je morgen ook nog een dikke brief schrijven, goed?'

'Heb je daar dan wel tijd voor?' Hè, waarom zegt ze dat nou! Ze hoort hem zuchten, dan zegt hij: 'Ja, daar heb ik morgen tijd voor. Ik hang nu op, m'n kwartjes zijn op. Dag Herma.' Dan is de verbinding verbroken.

Iemand tikt zacht tegen haar wang. 'Hé, word eens wakker, meisje. Kijk eens wie ik heb meegebracht?' Langzaam doet ze haar ogen weer open. Er staan weer mannen bij haar bed, wel drie deze keer en ook een vrouw. De meesten hebben witte kleren aan, ze is in het ziekenhuis, hebben ze gezegd. Maar waarom laten ze haar niet met rust, ze is zo moe. De andere man is er nu ook weer, hij is er heel vaak. Nu dus weer, hij houdt haar hand vast en met z'n andere hand trekt hij twee kinderen dichterbij. De kinderen zien er bang uit, ze proberen weg te kruipen achter de man. Waarom brengt hij ze hier, dit is toch geen plaats voor kinderen? Misschien heeft hij geen oppas.

'Moe,' zegt ze, 'ben moe.' Ze wil meer zeggen, vragen, maar haar mond doet het niet, hij wil gewoon niet open. Dan doet ze haar ogen maar weer dicht, misschien gaan die mensen dan ook weg. Ze hoort ze nog praten, flarden van zinnen vangt ze op: '... steeds vaker wakker, ... al meer te praten, ... meer woorden achter elkaar...'

4

Het is half februari, Herma en Karin fietsen samen naar huis. Er staat een koude wind.

'Misschien gaat het wel sneeuwen, moet je kijken wat een lucht,' zegt Herma. Karin reageert niet, diep in gedachten trapt ze door. 'Hé!' Herma pakt haar bij de arm, ze slingeren allebei.

'Wat doe jij nou?' vraagt Karin geërgerd. 'We gaan bijna onderuit.'

'Ik praat tegen je, maar jij bent blijkbaar erg ver met je gedachte. Waar zat je, toevallig bij een jongen met rode krullen en lichtbruine ogen?'

'Zo, je hebt hem goed bekeken. En wat dan nog?'

Het is zaterdagmiddag, ze komen bij de manege vandaan. Na het paardrijden hebben ze binnen met Gerdine thee gedronken.

En daar hebben ze dan eindelijk kennis gemaakt met de oudste broer, Tim, die na een halfjaar stage in Engeland weer terug is in Groningen en dit weekend bij zijn ouders doorbrengt.

'Ben je van plan de volgende broer te veroveren?'

'Wat is dat nou voor een stomme opmerking! Tussen Mark en mij is het allang uit en ik heb geen enkele interesse in Tim. Houd op zeg! Nog anderhalf jaar en dan vertrek ik naar Amsterdam. Nee, voor mij geen Drentenaar meer! Zie je mij hier al de rest van m'n leven wonen? Ik ga naar de stad, studeren en dan een wereldreis maken of zo, ik hoef voorlopig geen man, dus zeker geen Tim!'

'Nou, rustig maar, ik had gewoon het idee dat je hem wel leuk vond.'

Even blijft het stil, dan zegt Karin: 'En jij?'

'Wat: en jij, wat bedoel je?'

'Precies zoals ik het zeg, hoe vind jij Tim?'

'Gewoon, aardig. Hé, ik heb een vriendje hoor!'

'O ja? Ik heb hem een tijd niet gezien, maar hij is dus nog steeds je vriendje?' Ze zijn steeds langzamer gaan trappen. Herma zucht. 'Ik weet het niet meer, we gaan van de ene dip naar de andere. Volgende week komt Harry het weekend, dan moeten we praten heeft hij gezegd. Ik denk...'

'Wat?'

'Ik denk dat hij maar één dag komt, alleen zaterdag.' Ze zucht nog eens.

'Tja, ik denk dat dat eerlijker is, nu sleept het zich ook maar voort, toch? Zo zou ik tenminste geen verkering willen.' Dan zijn ze thuis.

Er wordt niet meer over gesproken, maar hoe verder de volgende week vordert, des te stiller wordt Herma. Ze twijfelt en twijfelt, maar ze komt er niet uit. Wat wil ze nou? En wat wil Harry?

Als ze hem zaterdag tegen het eind van de ochtend uit de bus ziet stappen, gaat haar hart weer helemaal naar hem uit, ze slaat haar armen om zijn nek en kust hem. Hoewel hij ook zijn arm om haar heen slaat en haar terug zoent, merkt ze een soort afstand bij hem. Ze lopen van de bushalte naar huis, pratend over onbenullige dingen. Harry is stil, daardoor gaat Herma steeds drukker praten.

Direct na de lunch stelt Harry voor om samen een wandeling te gaan maken. Herma voelt dat ze nerveus is als ze wat later door het bos lopen. Een poosje blijft het stil, ze lopen hand in hand. Als de stilte maar voortduurt begint Herma maar weer te vertellen, nu over de manege en haar paardrijlessen. Midden in haar verhaal valt Harry haar in de rede: 'Herma, we moeten praten, dat had ik je al geschreven.' Hij blijft staan, midden op het pad. 'Zeg me nou eens heel eerlijk: hoe zie jij onze relatie nu en wat verwacht je ervan voor de toekomst?'

'Dat is nogal wat. Ik vind je leuk, ik houd geloof ik echt van je. En voor de toekomst... ik denk dat we later wel zullen trouwen. Maar nu, ik vind dat we elkaar nu veel te weinig zien, jouw studie gaat altijd maar voor. Wat maakt het uit als je een halfjaartje langer over je studie doet? Het leuk met elkaar hebben is toch ook belangrijk?'

Harry knikt. 'Dat is zeker belangrijk, maar elk halfjaar dat ik langer over mijn studie doe, kost een halfjaar langer geld, veel geld. En voor dat geld moet ik hard werken in allerlei bijbaantjes, dat kost ook weer tijd. Dus hoe eerder ik afgestudeerd ben, des te eerder heb ik tijd voor jou. Wat ik vooral zo jammer vind, is dat jij zo weinig begrip hebt voor deze dingen, en verder vind ik je uitspraak: 'ik geloof dat ik van je houd en ik denk dat we later wel zullen trouwen' ook nogal vaag. Herma, ik weet wel dat jij pas zeventien bent, maar toch wil ik het van je weten: houd je net zoveel van mij als ik van jou? Beteken ik alles voor je, zoals jij dat voor mij doet? Want daarvan kun je zeker zijn: ik ben stapelgek op jou! En ik vind niks heerlijker dan bij je te zijn. Kun je me dat nazeggen?' Het blijft stil na die woorden, te lang stil. Dan zegt ze: 'Harry, ik... ik weet het gewoon niet.'

'Dan weet ik het wel, kom, we gaan terug.' Hij draait zich om en pakt zacht haar hand terwijl hij het pad terug begint te lopen. 'Ik ga zo naar huis, Herma, denk er de komende tijd nog eens rustig over na. Als je tot andere gedachten komt, laat je het me maar horen, anders zie ik echt geen toekomst voor ons. We gaan voor de volle honderd procent, toch?' Hij geeft haar hand een kneepje, dan lopen ze zwijgend naar huis. Herma huilt, de tranen lopen zomaar over haar wangen, ze kan er niks aan doen. Als ze bij huis gekomen zijn, lopen ze de achtertuin in. Dan blijft Harry staan en zegt: 'Ik ga nog even je ouders groeten, dan neem ik zo de volgende bus.' Hij neemt haar gezicht in zijn handen en veegt met zijn duim haar tranen weg. Dan kust hij haar even op het voorhoofd. 'Denk nog eens rustig over alles na, meisje, het ga je goed.' Dan laat hij haar staan en loopt naar de achterdeur. Herma is neergezakt op een bankje achter in de tuin. Even later ziet ze hem de deur weer uitkomen, hij steekt even kort zijn hand naar haar op, dan verdwijnt hij uit haar blikveld en uit haar leven. Voorgoed? Ze weet het niet. Nu loopt zij naar binnen en zachtjes gaat ze de trap op, naar haar kamer. Daar laat ze zich languit op bed vallen.

De eerste weken voelt het wat onwennig zonder de brieven en telefoontjes van Harry, maar Herma betrapt zich er na een paar weken op dat ze nauwelijks meer aan hem denkt. Ze durft dat niet eens uit te spreken, zelfs niet tegen Karin, met wie ze toch meestal wel haar geheimen deelt. Als Jasper een paar weken later een weekend thuis is en haar, als ze even samen in de keuken staan, vraagt of ze Harry mist en geen spijt heeft, haalt ze alleen haar schouders op. 'Ik weet het eigenlijk niet.'
    'Je weet het niet? Nou, dat zegt genoeg. Harry is er behoorlijk stuk van, dat weet ik wel.' Zonder verder nog wat te zeggen, loopt Jasper de keuken uit. Dan voelt ze zich toch wel even schuldig, maar voor haar is het bewijs genoeg dat de liefde van Harry's kant duidelijk veel dieper zat dan bij haar, dus dan

is het maar goed dat het nu voorbij is.

De laatste maanden van het jaar trekt ze veel op met Gerdine, ook Karin is vaak op de manege te vinden.

'Jullie worden echt van die paardenmeisjes,' zegt hun moeder, 'maar jullie denken toch wel aan je huiswerk, hè?'

'Hallo mam! We zijn zeventien, we kennen onze verantwoordelijkheid echt wel, hoor!'

'Daar reken ik op.'

Maar als ze een paar weken later met hun paasrapport naar huis fietsen, zijn ze geen van beiden erg blij. Met name het rapport van Herma laat nogal wat onvoldoendes zien. 'Ik dacht dat het nog wel meeviel, ze hebben echt alles naar beneden afgerond,' moppert ze tegen Karin. 'Zul je pappa zo horen!'

'We kunnen het best nog ophalen voor de zomervakantie,' denkt Karin, 'we zullen er gewoon wat harder aan moeten trekken. Ik wil echt over hoor, niet nog een jaar langer op deze school. Over ruim een jaar wil ik naar Amsterdam.' Karin wil een opleiding gaan doen met toerisme, maar ze weet nog niet precies wat. In elk geval iets, waardoor ze op reis kan, liefst zo vaak en zo ver mogelijk. Ze heeft het er regelmatig met Herma over, om samen in Amsterdam te gaan studeren en daar op kamers te gaan wonen. Maar Herma begint er steeds meer aan te twijfelen, of ze eigenlijk wel terug wil naar Amsterdam. Drenthe begint haar steeds meer te bevallen. Ze wil een opleiding tot verloskundige gaan volgen en dat kan ook aan deze kant van het land. Maar één ding is ze zeker met haar zusje eens: ze moeten zorgen dat ze overgaan naar de zesde klas en volgend jaar examen doen. Want ook zij heeft het wel een beetje gezien op deze school, behalve met Gerdine hebben ze toch met niemand echt aansluiting gekregen.

Maar het gaat niet lukken. Ondanks de inspanning blijft Herma zitten in de vijfde klas. Karin gaat met de hakken over de sloot over naar de zesde. Voor het eerst zullen ze het nieuwe schooljaar niet bij elkaar in de klas zitten. Vooral Herma heeft het daar moeilijk mee en het steekt haar natuurlijk dubbel dat haar zus wel verder mag en zij het vijfde jaar moet overdoen. Ze heeft één troost: ook Gerdine heeft het niet gehaald en blijft dus bij haar in de klas.

Ook deze zomervakantie gaan de meisjes twee weken met hun ouders naar Duitsland. 'Dit jaar voor het laatst, hoor pap! Volgend jaar zijn we achttien, dan gaan we echt niet meer mee,' zegt Karin.

'Dat zien we dan wel weer, ik vind het in elk geval gezellig dat jullie er dit jaar nog bij zijn. Enne... zelf op vakantie gaan kost heel wat meer, hoor!'

Ze gaan direct aan het begin van de schoolvakantie weg en als ze thuiskomen gaan Herma en Karin allebei nog drie weken werken. Karin heeft het voor elkaar: op een reisbureau in een naburig stadje hebben ze een paar weken werk voor haar. Herma kan drie weken terecht bij de familie Van Lingen. Onderhand is dat routine voor haar: paardenstallen uitmesten, paarden verzorgen, maar ze vindt het nog steeds heerlijk. Er zijn weer een aantal veulentjes geboren, dat maakt het werk extra leuk.

Mark is deze weken op vakantie, maar Gerdine werkt elke dag mee. Ook Tim is een paar dagen aanwezig, hij neemt een paard mee voor een buitenrit door het bos, maar verder ziet Herma hem nauwelijks. Toen ze hem dit voorjaar voor het eerst ontmoette, was ze eerlijk gezegd wel van hem onder de indruk. Hij ziet er leuk uit met z'n rode, krullerige haar en lichtbruine ogen, maar nu ze hem wat meer meemaakt, denkt ze daar heel anders over. Hij is kortaf tegen haar en Gerdine, ze vindt hem echt een hork! Gelukkig dat Karin niet op hem verliefd is geworden dit voorjaar, daar was ze toen wel even bang voor geweest. Stel je voor, zo'n arrogante knul hoopt ze niet als zwager te krijgen.

Inmiddels geniet Karin op haar reisbureau. Als de drie weken om zijn weet ze het zeker: ze wil volgend jaar een opleiding gaan doen voor reisleidster.

'Zorg eerst maar dat je je diploma haalt,' vindt haar vader, 'dan zien we wel weer.'

De vakantie gaat snel voorbij en voor ze het weet, fietst Herma weer naar school. Vaak samen met Karin, soms ook alleen. Hun lesuren vallen niet altijd meer samen. En terwijl Karin er flink tegenaan moet met de studie dit laatste jaar, heeft Herma het, zeker in het begin van het schooljaar, tamelijk gemakkelijk. Hoewel ze vorig jaar niet bepaald hard heeft geleerd, komt veel haar toch wel weer bekend voor als ze de boeken openslaat. Daarom blijft er voor haar genoeg tijd over om naar de manege te gaan. Karin is gestopt met paardrijden, ook op zaterdag zit ze een groot gedeelte van de dag met haar neus in de boeken. Het komt haar allemaal niet vanzelf aanwaaien, maar ze wil en zal dat diploma volgende zomer halen!

Af en toe ontmoet Herma Tim als ze bij Gerdine komt. Hij is wel wat vriendelijker dan afgelopen zomer, maar zo aardig en spontaan als de rest van de familie vindt Herma hem nog steeds niet. Toch begint hij langzaam maar zeker een beetje te ontdooien en lijkt hij weer een beetje op de leuke student die hij bij hun eerste ontmoeting was. Als Herma daar eens een opmerking over maakt tegen Gerdine, antwoordt zij: 'Ja, hij begint er eindelijk een beetje bovenop te komen, geloof ik.'

'Bovenop te komen, hoe bedoel je?' vraagt Herma.

'Weet je dat niet? Hij heeft een hele tijd verkering gehad, maar dat is dit voorjaar uitgegaan, daar was hij nogal stuk van. Ik dacht dat ik dat wel verteld had.'

Herma schudt het hoofd. 'Nee, maar nu snap ik beter waarom hij zo chagrijnig deed van de zomer.'

'Tja… hij vond het echt heel erg. Het was wel een leuke meid, ze studeerde ook in Groningen. We hebben haar niet zo vaak gezien, ze vond dit stadje een gat en van paarden moest ze al helemaal niks hebben, maar verder was ze wel aardig.' Gerdine schiet in de lach. 'Als ik mezelf zo hoor, dus eigenlijk helemaal niks voor Tim. Met de fokkerij hier heeft hij niet zoveel, maar hij is gek op paardrijden. Maar ja, er komt wel weer een ander, meisjes genoeg in Groningen.'

Herma geeft geen antwoord, haar gedachten gaan als vanzelf naar Harry. De laatste tijd betrapt ze zich erop dat ze vaker aan hem denkt. Soms heeft ze spijt dat ze hem heeft laten gaan. Toch twijfelt ze nog te veel om weer contact te zoeken. Alsof Gerdine haar gedachten kan lezen, vraagt zij: 'Hoor je nog weleens wat van Harry, geen spijt?'

Herma haalt de schouders op. 'Via Jasper hoor ik natuurlijk weleens wat, maar van hem zelf niet. Soms mis ik hem wel, maar toch... niet echt zo dat ik er dagelijks aan denk.'

'Dan zijn jullie waarschijnlijk niet voor elkaar bestemd en als dat wel zo is, komt het wel weer een keer goed.'

'Voor elkaar bestemd; denk jij echt dat er één bepaalde persoon voor je bestemd is?' Verbaasd kijkt Herma Gerdine aan.

'Ja, dat ik geloof ik zeker, jij niet?'

'Nou, nee hoor, ik zie het meer als een toeval, net wie je op een zeker moment in je leven tegenkomt.'

Even blijft het stil, dan vraagt Gerdine voorzichtig: 'Jullie gaan toch ook regelmatig naar de kerk, wat geloof jij eigenlijk zelf precies? Geloof je niet dat God een plan heeft met je leven?'

'Mmm, zo vaak gaan wij niet naar de kerk, m'n pa nog het meest, maar dat is ook een stukje *goodwill* naar z'n patiënten, denk ik stiekem weleens. In Amsterdam gingen we nog minder. Ik weet eigenlijk niet wat ik geloof. Natuurlijk geloof ik wel dat er een macht is die jij God noemt, maar verder... ik weet het niet hoor. Ik kan er niet zo veel mee. Daarom ben ik ook met catechisatie gestopt, dat vond ik allemaal zo zwaar. Het spreekt me gewoon niet aan, jou wel?'

'Ja, ik ben wel heel blij met mijn geloof, maar voor mij is het misschien allemaal gemakkelijker omdat ik er helemaal mee ben opgevoed. Naar de kerk gaan is bij ons net zo vanzelfsprekend als naar school gaan. En catechisatie vind ik ook soms wel saai, hoor, onze dominee is niet altijd even boeiend, daar heb je wel gelijk in.' Herma lacht.

'Maar,' gaat Gerdine verder, 'misschien heb je zin om eens mee te gaan naar de koffiebar op zaterdagavond?'

'Koffiebar, wat moet ik me daar bij voorstellen?'

'Het is gewoon een ontmoetingsplek voor de jeugd, georganiseerd vanuit *Youth for Christ*; een christelijk café zeg maar. Er wordt veel gezongen bij een gitaar en soms hebben we bijbelstudie. Maar het is vooral hartstikke gezellig en je ontmoet er een heleboel jongelui uit de omliggende plaatsen.'

'Een christelijke huwelijksmarkt dus eigenlijk?' vraagt Herma een beetje cynisch.

'Welnee, je kunt toch wel andere jongelui ontmoeten zonder gelijk aan verkering te denken? Nou, je moet het zelf weten, als je zin hebt om eens mee te gaan hoor ik het wel.'

Een paar weken later polst Herma haar zus of ze zin heeft die zaterdag mee te gaan naar de koffiebar waar Gerdine over sprak. Als ze heeft uitgelegd wat het ongeveer inhoudt, zegt Karin: '*Merci*, mij niet gezien. Sorry, zus!' Dan laat Herma het onderwerp maar rusten, misschien gaat ze later nog eens met Gerdine mee.

De achttiende verjaardag van de tweeling wordt uitgebreid gevierd. Ze vieren het op de zaterdag na hun verjaardag, zodat Jasper er ook bij kan zijn. Vrijdagavond rijdt vader Kees direct na het eten weg om oma op te halen en natuurlijk zal ook Jasper gelijk met zijn vader mee terugrijden. Groot is de verrassing als 's avonds laat niet alleen oma en Jasper uitstappen, maar ook Elize en Marian, twee vriendinnen uit Amsterdam. Zaterdagavond komen ook Gerdine en Mark en nog wat jongelui van school. En zondag overdag staan oom Herman en tante Anneke, de broer en schoonzus van vader Kees, voor de deur. 'Tenslotte is achttien een speciale leeftijd,' vinden ze, want meestal houden ze de verjaardagen van de kinderen in de familie niet bij.

Zondagochtend zijn ze eerst samen naar de kerk geweest.

'Moet dat nou?' hebben Herma en Karin gemopperd toen moeder Hanny dat zaterdagavond had voorgesteld toen ze naar boven gingen. Oma sliep al een tijdje, maar de laatste jongelui waren net de deur uit en het was al behoorlijk laat. 'Kunnen we niet gewoon lekker uitslapen?'

'Doe het nou maar voor oma, die vindt het echt vreselijk als we niet gaan.'

'Behoorlijk schijnheilig en Elize en Marian dan? Die gaan thuis nooit naar een kerk, ze zullen ons zien aankomen!'

'Dan leg je dat zo even uit, dan kunnen ze kiezen, blijven liggen of voor een keertje ook mee gaan. En schijnheilig? Ach, ik zie het meer zo: waarom zouden we oma verdriet doen als het niet nodig is?'

Zo zaten ze om tien uur allemaal in de kerk, ook Elize en Marian hadden aangegeven het weleens te willen meemaken. Als Herma om zich heen kijkt, ziet ze de familie Van Lingen zitten. Ja hoor, dus ook Mark en Gerdine, die toch ook laat naar bed zijn gegaan, zijn er weer. En ze zien er niet eens zo slaperig en chagrijnig uit als Herma zichzelf voelt.

's Avonds, als iedereen weer weg is, is het opeens stil. Jasper, Marian en Elize konden meerijden met oom Herman en tante Anneke, die in Zaandam wonen. Dat scheelt hen een hoop reistijd en geld. Oma blijft nog een aantal dagen logeren.

Deze keer zitten pappa en mamma bij haar bed als ze wakker wordt. Of is het oma? Ze weet het opeens niet meer. Ach nee, het is mamma, maar ze ziet er oud uit. Pappa lijkt ook opeens grijzer. Hebben ze zich zoveel zorgen over haar gemaakt omdat ze ziek is?

Mamma buigt zich over haar heen. 'Weer wakker, meisje? Je bent steeds vaker wakker, hè? Fijn! Kun je je het ongeluk herinneren? Met Karin gaat het goed, hoor, die had alleen een paar schaafwondjes. Maar met jou komt het ook wel goed. Je moet alleen geduld hebben.'

Ze probeert antwoord te geven, maar het lukt niet. Ze schudt het hoofd. Naast het bed staan allerlei apparaten, daar loopt ook het slangetje vanuit haar neus naar toe. Haar keel is droog, ze wil slapen.

5

Daarna gaat het jaar snel voorbij. Sinterklaas, de kerstvakantie en voor ze het weten is het alweer januari. Ook Herma is nu serieus aan het werk. Dit jaar zal ze toch moeten overgaan.

Zaterdags gaat ze een uurtje paardrijden, maar verder is er geen tijd om naar familie Van Lingen te gaan. Als ze op een zaterdag in april het paard waarop ze heeft gereden verzorgt, praat ze nog even met Gerdine. 'Het is zo saai bij ons in huis,' moppert ze. 'Karin zit dag en nacht te leren voor haar examens. Wat ga jij vanavond doen, zin om een poosje naar mij toe te komen of zo?'

'Ik ga naar de koffiebar, ga nou eens mee, dan zul je zien dat je het leuk vindt! En zo niet, dan ga je gewoon weer weg.' Herma denkt even na. 'Nou, goed dan,' zegt ze, 'maar als ik het niks vind, ga ik echt gelijk weer.'

'Best, zullen we je ophalen? Mark gaat ook mee, dan kun je

tegen je ouders zeggen dat je niet alleen naar huis hoeft van-avond.'

'Maar als ik dan eerder weg wil?'

'Dan ga je gewoon, zeurpietje! Maar je vindt het wel leuk, let maar op!'

Met gemengde gevoelens wacht Herma 's avonds tot Gerdine en Mark haar komen ophalen. 'Ga je echt niet mee?' probeert ze nog een keer bij Karin.

'Nee joh, ik moet nog twee boeken lezen voor Engels, trouwens, het trekt me echt niet. Koffiebar, het woord alleen al, sorry zus.'

'Je mag je regenpak wel aan doen, het giet buiten. Anders kom je helemaal drijfnat daar aan,' zegt moeder Hanny. Maar dat is niet nodig: om halfnegen stopt er een auto voor de deur en holt Gerdine het tuinpad op. 'Mark mocht de auto van pa meenemen, kom maar gauw.'

Even later rijden ze weg.

Nu moet ik wel net zo lang als Gerdine en Mark blijven, bedenkt Herma onderweg. Nou ja, ze laat het maar over zich heen komen, zo erg zal het nou ook wel niet zijn.

En dat is het inderdaad niet. Zodra ze het gebouwtje binnenkomen, valt het haar op hoe gezellig de sfeer is. Het is een niet al te grote ruimte met langs twee wanden banken en in het midden een lange bar. Op de banken liggen gekleurde kussens, hoewel ze daar niet veel van ziet, want de meeste plaatsen zijn al ingenomen door jongelui. Ook aan de bar zijn al heel wat plaatsen bezet en verder staan overal groepjes te praten. Bovenop de bar, helemaal aan de kant met z'n rug tegen de muur, zit een jongen met een gitaar waarop hij zachtjes wat tokkelt. Als ze binnenkomen, worden Gerdine en Mark luidruchtig verwelkomd en ook Herma wordt hartelijk begroet.

Ze doen hun jas uit en schuiven aan de bar. Herma komt vlak naast de jongen met de gitaar terecht. Hij springt nu van de bar af en pakt de kruk naast haar, waarop hij gaat zitten. Dan steekt

hij z'n hand uit en zegt: 'Hoi, voor 't eerst hier? Ik ben Paul.'
Herma noemt ook haar naam en algauw ontstaat er een gesprek tussen hen. Paul vertelt dat hij in een dorpje wat verderop woont, maar iedere zaterdagavond hiernaartoe komt. Door de week woont hij in Utrecht, waar hij voor dierenarts studeert.

Ze zitten zo gezellig te praten, dat Herma het jammer vindt als er een andere jongen naar hen toekomt die Paul op de schouder tikt en vraagt: 'Zullen we zo wat zingen, Paul?'

'Ik spreek je straks nog.' Paul pakt z'n gitaar en gaat in het midden op een kruk zitten, er worden boekjes uitgedeeld en nummers geroepen. Dan beginnen Paul en de andere jongen te spelen en iedereen zingt mee. Het zijn allemaal christelijke liedjes. Herma voelt zich wat opgelaten, ze kent er niet een van, dus ze kijkt maar een beetje mee naar de teksten en probeert af en toe zacht wat mee te zingen. Maar steeds kijkt ze naar Paul, die blijkbaar helemaal opgaat in z'n spel. Opeens kijkt hij op en kijkt haar recht aan. Herma voelt hoe ze kleurt en ze kijkt gauw weer in het boekje dat Gerdine haar voorhoudt. Paul is een leuke vent, maar hij heeft nu natuurlijk gelijk al gezien dat ze niet meezingt. Als ze ziet met hoeveel enthousiasme hij speelt en zingt kan ze wel op haar vingers natellen hoe belangrijk dit voor hem is en zal hij waarschijnlijk geen enkele interesse hebben in een meisje dat nergens van weet. Terwijl ze aan het zingen zijn komen er af en toe nog wat jongeren binnen lopen, die erbij komen zitten, een boekje pakken en meezingen. Ook de kruk naast Herma wordt op die manier bezet door een meisje dat ze wel van gezicht kent van school.

Voor Herma's gevoel duurt het zingen eindeloos. Als het dan eindelijk stopt, staat er een jongen op die iets wil vertellen over een project over hulp aan straatkinderen in Brazilië, waar hij heeft gewerkt. Daarna wordt er weer volop gepraat en gelachen. Het meisje naast Herma, Jolande, is aardig en belangstellend en hoewel Herma haar helemaal niet kende, praten ze al snel gezellig over allerlei dingen. Het valt Herma honderd procent mee, ze heeft het zelfs erg naar haar zin. Het is totaal anders dan ze zich had voorgesteld. Alleen bedenkt ze stilletjes bij zichzelf dat ze het erg jammer vindt dat Paul niet meer naast haar zit. Haar gedachten en ogen dwalen regelmatig weg van het gesprek met Jolande om zo onopvallend mogelijk rond te kijken of ze hem nog ziet. Opeens staat hij achter Jolande, hij lacht naar haar en zegt: 'Hoi Jo, alles goed? Als jullie zo uitgekletst zijn, mag ik dan jouw kruk even gebruiken? Ik wil graag nog even naast Herma zitten, jou zie ik al genoeg.' Herma voelt dat ze alweer een kleur krijgt, maar Jolande glijdt gelijk van de kruk en ze zegt: 'Ga je gang, hoor! Herma, ik spreek je nog wel.'

'Was dat niet een beetje bot?' vraagt Herma als Paul is gaan zitten.

'Dat kan mijn zusje wel hebben, hoor!' Hij is weer aangeschoven en vraagt dan serieus: 'Onze liederen zijn voor jou onbekend, zag ik?' Herma knikt. 'Ja, het is een speciale bundel zeker? In de kerk heb ik ze in elk geval nog nooit gezongen.'

'Je gaat wel naar de kerk? Hier in de stad zeker? Ach, daar ken je natuurlijk ook Gerdine en Mark van.'

'Eerlijk gezegd kom ik niet zo vaak in de kerk, ik ken Gerdine via school.'

'Aha!' Hij kijkt haar even aan. 'En hoe bevalt het tot nog toe hier vanavond?'

'Ja leuk, dat had ik eerlijk gezegd niet verwacht. Gerdine had me al eerder gevraagd om eens mee te gaan, maar het leek me niks.'

'Ja, logisch, je wist niet dat ik er zou zijn!' Hij lacht. 'Geintje! Maar je woont hier nog niet zo lang zeker, ik hoor het aan je praten.'

'Oh? Jij praat toch ook geen dialect en jij komt wel hier vandaan.'

'Ik spreek keurig ABN, maar jij hebt een accent, laat me raden: Amsterdam of omstreken?'

'Dat je dat hoort! Ja, ik kom uit Amsterdam, sinds een paar

jaar is mijn vader hier huisarts en woon ik met mijn ouders en tweelingzusje hier.'

'Ach, ja natuurlijk, dokter Vos. Die link had ik nog niet gelegd toen je je naam noemde. Maar het is een naam die je hier verder niet veel hoort. Kon je wel goed wennen hier, het is toch heel anders dan Amsterdam.'

Herma vertelt over haar tegenzin van de eerste tijd, het heimwee naar Amsterdam en algauw zijn ze weer diep in gesprek. De avond vliegt voorbij, ze drinken wat en praten maar door. Ten slotte komt Gerdine naar Herma toe. 'Hé, hoe denk je erover? We wilden het eigenlijk niet zo laat maken vanavond.' Ze kijkt Herma een beetje spottend aan als ze verdergaat: 'Jij zult het ook wel zat zijn, zo'n eerste keer als je niemand kent is toch nooit zo leuk.'

'Hoe zijn jullie, met de fiets?' vraagt Paul. Hij is opgestaan van z'n kruk en begint z'n gitaar in de hoes te doen. 'Nee,' zegt Gerdine, 'wij zijn met de auto. Wil je een lift soms?'

'Nee bedankt, ik ben zelf met de auto. Nee, ik wilde eigenlijk voorstellen dat ik Herma even thuisbreng. Ik kom bijna langs haar huis en jullie moeten er tenslotte voor omrijden.'

'Wat edelmoedig van je! Het scheelt ons algauw twee minuten, ja.' Ze lacht. 'Maar ik vind het best, als Herma dat zelf ook wil natuurlijk.'

'Het maakt mij niet uit,' zegt Herma, maar ze durft Gerdine noch Paul aan te kijken.

Als Gerdine is weggelopen vraagt Paul zacht: 'Maakt het je echt niet uit offe...' Nu moet ze zelf ook lachen. 'Nou, eerlijk gezegd heb jij m'n voorkeur.'

'Goed zo, dat wilde ik even horen.' Dan gaan ze samen de deur uit. 'Moet je zusje niet meerijden?' vraagt Herma als ze naar de auto lopen.

'Nee, ze is met haar vriend, die zorgt wel dat ze thuiskomt.' Dan stappen ze in, maar onderweg wordt er niet veel gezegd. De hele avond hebben ze zitten praten, maar nu weet Herma opeens niet meer wat ze zeggen moet.

Vijf minuten later stopt de auto voor het huis van familie Vos. Paul zet de motor af en keert zich naar Herma. 'Zin om volgende week weer te komen?' vraagt hij. Herma doet haar mond al open om te antwoorden, als hij verder gaat: 'Ho, wacht, ik moet er wel bij vertellen dat volgende week een bijbelstudieavond is.' Afwachtend kijkt hij haar aan.

Herma aarzelt even, ze is blij dat het tamelijk donker is in de auto zodat ze Paul niet hoeft aan te kijken. Dan zegt ze: 'Ach, dat lijkt me ook best interessant. Wat moet ik me er eigenlijk precies bij voorstellen?'

'We lezen van tevoren allemaal een bepaald bijbelgedeelte en daar praten we dan over.'

'Maar ik weet praktisch niks van de Bijbel.'

'Dan luister je, je hoeft niet gelijk een mening klaar te hebben, leerzaam is het altijd. Dat vind ik tenminste.'

Even blijft het stil, dan zegt ze: 'Oké, als je zeker weet dat ik niks hoef te zeggen…'

'Zal ik je ophalen of ga je liever met Gerdine en Mark mee?'

'Misschien kunnen we beter afspreken dat je me ophaalt, dan kan ik me tenminste niet meer bedenken.'

Hij lacht. 'Nou, dat kan evengoed, hoor. Als je volgende week toch niet wilt, zeg je dat gewoon. Dan ga ik alleen, maar,' en weer draait hij zijn gezicht naar haar toe, 'dat zou ik wel heel jammer vinden!'

'Hoe laat moet ik klaarstaan?'

'Kwart over acht, kan dat? We beginnen meestal zo rond half-negen. Het duurt niet de hele avond, hoor, na de bijbelstudie is er nog tijd genoeg om een beetje bij te praten en wat te drinken met elkaar.'

Herma doet het autoportier open. 'Goed, tot volgende week dan, en bedankt voor het thuisbrengen.' Ze stapt uit en even kijkt ze hem na als hij wegrijdt het donker in. Dan gaat ze naar binnen. In de tijd die volgt gaat Herma iedere zaterdagavond naar de koffiebar. Om de week wordt er bijbelstudie gehouden, dat vindt ze wat minder. Het spreekt haar nog steeds niet echt aan. De andere avonden, die gevuld zijn met zingen, praten en soms tafeltennis of tafelvoetbal, vindt ze leuk. En het leukst van alles is de aanwezigheid van Paul! Dat is voor haar dan ook de grootste reden om te gaan. Als ze eind mei naar de auto lopen om naar huis te gaan, vraagt Paul: 'Zullen we gaan lopen, dan laat ik de auto hier staan, goed?'

Herma knikt, ze heeft de laatste weken heel goed gemerkt dat Paul haar net zo leuk vindt als zij hem. Het verbaasde haar eigenlijk dat het zo lang heeft geduurd, eer hij dat liet merken, maar nu...

Een stukje lopen ze zwijgend naast elkaar, dan slaat Paul een arm om haar schouder. 'Herma?' Ze blijven staan, kijken elkaar aan en dan zijn hun armen om elkaar heen en kussen ze elkaar. Als er eindelijk een eind aan de kus komt, zegt Paul: 'Ik wilde eigenlijk vragen of je net zo over mij denkt als ik over jou, maar volgens mij is dat niet meer nodig, toch?' Ze schudt het hoofd en opnieuw kussen ze elkaar. Als ze eindelijk doorlopen, de armen stevig om elkaar geslagen en af en toe stilstaand voor nog een kus, zegt Paul: 'Ik hoop zo, Herma, dat het geloof ook voor jou echt iets gaat betekenen. Ik vind het zo fijn dat je steeds meegaat naar de bijbelstudieavonden, maar het heeft pas echt waarde als het voor je gaat leven. Ga je eigenlijk naar catechisatie bij jullie dominee?'

'Nee, maar dat wil ik volgend seizoen best doen, hoor. Hè Paul, moet je nu gelijk over dit onderwerp beginnen? Het komt heus wel goed! Laten we nu even genieten van elkaar, de rest komt wel.'

'Je hebt gelijk, maar het is zo belangrijk voor me, ik gun het jou ook, dat is het gewoon. Maar we praten er nog wel een keer over, goed?'

Als ze bij het huis van Herma zijn aangekomen, nemen ze heel lang en uitgebreid afscheid van elkaar bij de achterdeur. 'Kom je morgen na de kerk bij ons koffiedrinken?' vraagt Herma als hij eindelijk weggaat, 'mijn familie is onderhand zo nieuwsgierig naar je, ik praat natuurlijk al weken over je!'

Begin juni slaagt Karin met goede cijfers voor haar eindexamen en een paar weken later hoort Herma dat ze over is naar de zesde klas.

De verkering met Paul is al heel serieus, ze weet zeker dat ze met hem oud wil worden. Als ze dat tegen Karin zegt, moet die er een beetje om lachen. 'Kind,' zegt ze, 'we zijn pas achttien! Ga je toch nog niet binden, kom volgend jaar ook naar Amsterdam, dan gaan we samen genieten van het studentenleven.' Want Karin is al druk aan het zoeken naar een kamer in de hoofdstad en heeft zich laten inschrijven voor een studie in de toerisme-branche. Herma snapt nog steeds niet precies wat het inhoudt, die studie van haar zus, maar Karin zelf is er erg enthousiast over.

'Nee, sorry Karin, niks voor mij,' antwoordt ze, 'ik ga eerst zien dat ik m'n diploma haal en dan ga ik iets in de verzorgende sector zoeken. Verloskunde of misschien zelfs kraamverpleeg-ster. Ik heb eigenlijk geen zin om nog jaren te leren, over ruim twee jaar is Paul klaar en dan willen we misschien wel trouwen.'

'Herma! Dan ben je nauwelijks eenentwintig!'

'Nou en? Als ik dat toch leuk vind? Ik zit nou eenmaal anders in elkaar dan jij. En wie weet kom jij daar in Amsterdam binnen de kortste keren een leuke knul tegen en ben je nog eerder getrouwd dan ik.'

'Nou, dat kun je wel vergeten. Ik bind me nog in geen jaren, misschien wel nooit.'

Herma haalt haar schouders op. 'Dat moet jij weten, maar respecteer dan ook mijn mening.'

'Ja, daar heb je gelijk in. Nou, we zien het wel. Het zal trou-wens raar zijn als ik straks in Amsterdam zit zonder jou, zus!'

'Ja, dat lijkt me ook helemaal niet leuk. Ben ik hier alleen met pap en mamma. Paul is er door de week natuurlijk ook niet. Nou ja, dan kan ik hard studeren en gelukkig zijn Gerdine en de paarden er nog.'

De zomervakantie gaat snel voorbij. Herma gaat met Paul mee naar een kamp van *Youth for Christ*. Het is een groep jongeren tussen de twaalf en vijftien jaar waaraan Paul leiding geeft en ze konden nog wel iemand gebruiken voor het koken en dergelijke, dus kon Herma op het laatste moment nog mee. Het valt haar reuze mee. Toen ze het programma zag en las dat er elke dag tijd was ingeruimd voor bijbelstudie, had ze haar bedenkingen, al sprak ze die niet uit tegen Paul. Elke dag bijbelstudie! En dat voor die jonge kinderen... nou, dat kon wat worden. Maar tot haar verbazing doet de groep enthousiast mee en ook zijzelf voelt zich aangesproken door de niet te moeilijke discussies en uitleg. Langzaam begint ze deze week te begrijpen waarom Paul zo blij is met zijn geloof en waarom het zo'n belangrijke plaats inneemt in zijn leven.

De laatste dag is het onderwerp 'het gebed' en als de avond afgesloten wordt met een kringgebed voelt Herma opeens de behoefte om ook hardop mee te bidden. Na het 'amen' heeft ze tranen in haar ogen, ze voelt zich ontroerd al kan ze niet aangeven waarom. Later, als de jongeren naar de slaapzaal zijn gegaan en zij met Paul buiten nog een klein rondje loopt, begint ze erover, zoekend naar woorden. 'Paul, ik vond het zo bijzonder vanavond, ik... ik weet eigenlijk niet hoe ik het zeggen moet, maar het voelde opeens alsof... alsof God echt dicht bij me was, het was opeens heel anders dan anders wanneer ik in de kerk was of op onze eigen studieavonden, dan leek het alleen voor de anderen en nu... ik werd opeens heel blij, vind je dat raar?'

Paul slaat zijn armen om haar heen. 'Raar? Meisje, ik ben er alleen maar blij om. Daar bid ik al deze maanden al om, dat je echt gaat zien, gaat voelen wie Jezus ook voor jou wil zijn.'

'Nou, ik ben er nog lang niet, hoor, ik bedoel: het is voor mij allemaal toch nog wel moeilijk. Ik twijfel best nog aan sommige dingen of begrijp ze niet.'

'Daar zijn onze bijbelstudies juist goed voor en je mag er ook altijd met mij over praten, graag zelfs.'

De rest van de zomervakantie gaat Herma aan het werk op de paardenfokkerij en manege. Paul heeft een vakantiebaantje in de buurt van Utrecht. Hij heeft daar al verschillende zomers gewerkt en ook voor deze vakantie had hij zich al aangemeld. Herma vindt het wel ongezellig, nu zien ze elkaar nog steeds alleen maar in het weekend. Maar vanaf vrijdagavond tot zondagavond is hij er dan ook. Meestal gaat hij op maandagochtend vroeg pas weer naar Utrecht. En Herma heeft inmiddels wel geleerd van de fout die ze bij Harry maakte, om te veel te willen claimen. Harry... ze denkt bijna nooit meer aan hem. Pas als Karin, die in Amsterdam druk bezig is met het zoeken van een kamer, op een keer vertelt dat ze bij Jasper en Harry heeft gegeten, komt de gedachte aan haar vroegere vriendje weer even bij haar boven. Het is nog niet eens zo lang geleden, maar ze beseft nu wel, dat ze in die tijd nog wel erg onvolwassen was en weinig rekening met Harry's wensen hield. Ach, het is nu niet meer belangrijk. Ze houdt van Paul en ze weet zeker dat ze met hem oud wil worden.

Dankzij wat inspanningen van Jasper en vrienden van hem, lukt het Karin op tijd een kamer te vinden en eind van de zomervakantie neemt Herma afscheid van haar tweelingzus. Toch wel raar, vindt ze. Voor het eerst worden ze echt gescheiden.

'Hé, je schrijft me wel, hè?' vraagt Karin voordat Herma bij haar vader in de auto stapt om weer terug naar Drenthe te rijden.

'Tuurlijk! En jij ook hè? Of je belt maar een keertje! Ik vind het echt niet leuk!'

'Ik nu even ook niet, maar dat komt wel weer.'

'Je kunt nog terug, ga lekker een opleiding in de buurt van thuis doen.'

Nu lacht Karin. 'Echt niet! Nee hoor, ik vind het jammer dat jij niet hier bent en pap en mamma zal ik ook best missen af en toe. Maar verder... Ik vind het heerlijk om hier weer in de stad te zijn. Denk jij maar eens goed na of je toch volgend jaar ook niet deze kant op wilt komen. Dan zoek ik alvast een kamer voor je.'

Herma schudt het hoofd. 'Nee, dat denk ik echt niet. Ik vind het prima daar. En voorlopig ga ik eerst eens zien dat ik dat diploma haal, jij hebt het tenminste alvast!'

'Kom Herma, we gaan nu echt,' maant haar vader. Even later rijden ze richting thuis. Herma blijft het een raar gevoel vinden om haar zus achter te laten.

Als ze deze keer haar ogen opendoet, ziet ze de man weer. Hij zit vertrouwelijk dicht bij haar. Als hij ziet dat ze haar ogen opendoet, buigt hij zich over haar heen en kust haar. 'Lieverd, daar ben je weer! Hoe is het nou?' Ze probeert iets te zeggen, maar het gaat niet. Raar is dat, soms gaat het wel en dan opeens weer niet. De dokter komt binnen, hem kent ze nu wel. Hij komt heel dikwijls bij haar. 'Ha, uw man is er en u bent wakker, dat is gezellig!' Hij geeft een klopje op haar knie onder de lichtgele deken. Ze schrikt, wat zegt hij nu: haar mán? Met grote ogen kijkt ze de arts aan. 'Niet waar.' Het lukt haar dat te zeggen, 'Harry...' Ze ziet hoe de man en de dokter elkaar even aankijken. 'Een vroeger vriendje,' zegt de man en haalt licht zijn schouders op. Nu komt de dokter bij het hoofdeind van haar bed staan. 'Wie is Harry?' vraagt hij vriendelijk.

'Mijn vriend... Amsterdam...' Waarom gaat het praten toch zo moeilijk? De mannen kijken elkaar weer aan. Dan gaat de deur van de kamer weer open en een vrouw met een vriendelijk gezicht komt binnen. 'Tijd voor de logopedie, Herma, we gaan weer een beetje oefenen, oké?'

6

Dan begint het nieuwe schooljaar alweer. Eerst moet Herma er erg aan wennen zonder Karin naar school te fietsen en alleen met haar ouders aan tafel te zitten, maar al snel wordt ook dat gewoon. En de weekends zijn er voor Paul. Hij is veel bij haar thuis of zij bij hem.

Behalve z'n zusje Jolande, die een jaar jonger is dan Herma, zijn er nog twee jongere broertjes, Casper en Ruud van veertien en dertien jaar. Vanaf het begin is Herma hartelijk ontvangen door de ouders van Paul en ze voelt zich er helemaal op haar gemak.

Ook haar eigen ouders zijn blij met haar keus voor Paul en ook

Jasper en Karin kunnen goed met hem opschieten als ze elkaar in het weekend ontmoeten.

'Je hebt het helemaal voor elkaar, hè?' zegt Karin als ze op een zaterdag voor het slapengaan nog even bijpraten op Herma's slaapkamer. 'De ideale schoonzoon, oppassend, hard studerend en heel christelijk.'

'Dat klinkt niet echt leuk als je het zo zegt. Mag je hem niet?'

'Sorry als het zo overkomt. Ik vind hem hartstikke aardig, het is alleen... jij bent veranderd.'

'Veranderd? Dat valt volgens mij wel mee, in welk opzicht vind je dat dan?'

'Zoals ik ook al van Paul zei: zo christelijk.'

Herma haalt de schouders op. 'Ik kan je niet helemaal volgen geloof ik. Ja, ik ben inderdaad anders tegen het geloof aan gaan kijken, het betekent echt iets voor me. Karin, je zou eens mee moeten gaan naar een bijbelstudieavond of catechisatie. Met deze groep, waarvan een deel met Pasen belijdenis wil doen, is het echt heel anders dan dat eerste jaar toen wij er samen in Amsterdam naartoe gingen.'

'Nee, merci, daar heb ik echt geen behoefte aan. Als ik jou zo hoor, ken ik je bijna niet terug. Het is echt belangrijk voor je geworden, hè?' Nadenkend kijkt Karin Herma aan.

'Maar is dat negatief? En merk je daar zo veel van in de gewone dingen?'

'Elke zondag naar de kerk, elke zaterdag naar die bijbelclub, dat bedoel ik.'

'Dus?'

'Ach nee,' nu haalt Karin een beetje nijdig de schouders op, 'dat is het ook niet. Het is meer het gevoel... ja, hoe moet ik het zeggen, dat we niet meer hetzelfde over dingen denken. Dat was vroeger wel zo. Je bent met dingen bezig waarvan ik helemaal niet snap wat je eraan vindt. Dat is het geloof ik, laat ook maar.'

'Was dat ook al niet zo met bijvoorbeeld de paarden? Ik vond dat in het begin toch ook veel leuker dan jij? En dat was toch ook nooit een punt?'

'Dit is anders. Daarin kon ik, als ik wilde, met je mee. Hierin kan ik je niet volgen.' Karin staat op van het bed en loopt naar de deur van de slaapkamer. 'Laat ook maar, ik klets maar wat. Misschien ben ik gewoon jaloers omdat jij het al helemaal voor elkaar hebt. Trusten!'

Voor Herma nog kan reageren is de deur al achter Karin dichtgegaan.

Op Eerste Paasdag doet Herma samen met zeven andere jongelui openbare belijdenis van haar geloof. Ze heeft lang getwijfeld of ze er wel aan toe was om het dit jaar al te doen. Maar na gesprekken met de predikant en niet te vergeten veel praten met Paul, weet ze het heel zeker: Jezus is tweeduizend jaar geleden ook voor haar gestorven aan het kruis. Het is voor haar een blijde dag, haar ouders vinden het 'toch wel mooi', Karin en Jasper vinden het 'leuk voor haar', maar degene die misschien naast Paul wel het meest blij is, is haar oma. Ze is uit Amsterdam gekomen en als ze haar kleindochter feliciteert, staan er tranen in haar ogen.

Als de examens beginnen, heeft Herma nog steeds geen keus gemaakt voor haar vervolgopleiding. Haar ouders dringen er regelmatig op aan dat ze nu toch echt een beslissing moet nemen en zich bij een universiteit of hogeschool moet laten inschrijven.

Als ze op een zondag aan de koffie zitten, zegt vader Kees tegen Paul: 'Zeg jij nou, ze moet toch eindelijk eens weten wat ze wil?'

Paul kijkt naar Herma en zegt: 'Ja, misschien moet je je plannen nu maar eens laten horen,' en zich tot zijn aanstaande schoonvader wendend: 'Het is echt haar eigen idee, hoor, ik heb geprobeerd haar tot andere gedachten te brengen.'

Nu kijken ze allemaal naar Herma, die wat rechterop gaat zitten en zegt: 'Ik ga werken, het maakt me niet zo veel uit wat of waar. Ik wil geld verdienen en als Paul volgend jaar klaar is, gaan we trouwen.' Het blijft even helemaal stil, dan gaat ze verder: 'en ik ga een avondcursus volgen voor dierenartsassistente, dan kan ik als we getrouwd zijn met Paul gaan samenwerken.' Het blijft nog steeds stil, maar dan schraapt haar vader zijn keel en zegt rustig: 'Dat lijkt me geen goed idee, Herma. Je bent negentien, je hebt zometeen hopelijk een vwo-diploma op zak en je hebt altijd gezegd dat je verloskundige of misschien kraamverzorgster wilde worden. Als je de studie voor verloskundige te lang vindt duren, ga dan de kant van de kraamverzorging op. Volgens mij duurt die opleiding heel wat korter en kun je ook al gauw aan het werk. Ik begrijp best dat jullie geen jaren willen wachten met trouwen, maar aan de andere kant: hoe lang kennen jullie elkaar nou? En volgend jaar ben jij twintig en Paul vierentwintig, is het een ramp dan nog een jaartje te wachten, zodat Paul rustig een werkplek kan zoeken en wat kan gaan verdienen voor jullie trouwen?' Hij kijkt eerst Herma en vervolgens Paul aan. Herma knijpt haar lippen stijf op elkaar, ze zegt niks.

Paul voelt zich duidelijk ongemakkelijk. 'We praten er nog wel over, hè Herma?'

'Ik weet wat ik wil. Er is toch niks mooiers dan samen in een praktijk te werken; Paul als dierenarts en ik zijn rechterhand?'

Vader Kees schudt het hoofd. 'Wie zegt dat Paul zo direct in een eigen praktijk kan stappen? Jullie mogen blij zijn als hij ergens een plekje kan krijgen in een groepspraktijk. Kom op Paul, dat weet je toch zelf ook wel?'

'Het hoeft ook niet onmiddellijk,' zegt Herma, 'dat diploma heb ik dan alvast, we gaan gewoon hard sparen, des te eerder kunnen we een eigen plekje hebben. En daarom ga ik ook direct werken.'

Karin zit bij het gesprek en heeft nog niks gezegd, maar nu kan ze zich niet langer inhouden. 'Herma, doe toch normaal, je gaat toch op je twintigste niet trouwen! Of kom dan tenminste dat ene jaar bij mij in Amsterdam wonen, daar kun je ook een baan zoeken en een avond- of deeltijdopleiding doen.'

'En een hoge huur betalen zeker voor een klein kamertje, ik zou wel gek zijn! Dan spaar ik toch nog niks. Als we volgend jaar willen trouwen, zal er toch geld nodig zijn om te beginnen.'

Ook moeder Hanny schudt het hoofd. 'Ik vind echt dat je een beetje doordraaft, Herma. Paul, kun jij haar niet een beetje remmen? Of draaf jij even hard?'

'Tja, ik begrijp jullie bezwaren wel, maar u moet ook begrijpen dat wij graag bij elkaar willen zijn. Als ik volgend jaar klaar ben moet ik maar afwachten waar ik terechtkom, de banen liggen niet voor het opscheppen. Stel, ik vind iets in het westen of zuiden van het land, wanneer zien Herma en ik elkaar dan nog? Zeker als ik ook tijdens de weekenden zal moeten gaan werken.'

'Ja, dat is natuurlijk wel zo, maar toch... jullie zijn nog zo jong, je hebt je hele leven nog voor je.'

'We praten er nog wel over, denken jullie er zelf ook nog maar eens goed over na!' Vader Kees staat op als de telefoon gaat en even later rijdt hij weg naar een patiënt die hem nodig heeft.

Maar hoewel er nog heel wat keren over gesproken wordt, soms rustig, soms wat heftiger, blijft Herma op haar standpunt staan. Ze gaat op zoek naar een baan en die vindt ze ook. Twee weken nadat ze is geslaagd voor haar eindexamen kan ze beginnen bij een middengroot accountantskantoor, waar ze op de administratie aan het werk kan en inderdaad een heel leuk salaris verdient.

'Wil je dan helemaal niet op vakantie?' vraagt haar moeder als Herma trots haar contract laat zien.

'Paul loopt net stage, hij kan immers toch geen vrij krijgen. Dus dan kan ik ook net zo goed gelijk aan het werk gaan. Elk maandsalaris is meegenomen. Je vindt het raar, hè mam?' voegt ze er zacht aan toe.

Haar moeder kijkt haar aan. 'Ach, raar... dat is niet het juiste woord. Ik vind wel dat je overdrijft. Je holt maar door alsof je bang bent dat de tijd je inhaalt. Meisje, je bent nog zo jong, geniet toch ook een beetje van het heden. Je had bijvoorbeeld ook een weekje met ons mee kunnen gaan op vakantie. Of een dag of wat naar Amsterdam. En als ik me niet vergis heeft Karin voorgesteld om er samen even tussenuit te gaan deze zomer. Allemaal dingen die ook heel leuk zouden kunnen zijn, zeker dat laatste: weer even met z'n tweeën, Karin en jij. Dat gebeurt ook niet vaak meer.'

Herma zegt niet veel terug, wat moet ze ook zeggen. Aan de ene kant heeft mamma misschien wel gelijk, maar aan de andere kant: elke dag werken en geld verdienen brengt haar dichter bij het doel om voor altijd bij Paul te zijn. Daarom laat ze het zoals het is afgesproken en per 1 juli begint ze aan haar baan. Het werk is niet vervelend, maar ook niet echt iets wat ze altijd zou willen doen. Zeker de eerste weken moet ze erg wennen en is ze doodmoe als ze aan het eind van de middag naar huis fietst. Maar het went al snel en aan het eind van de zomer begint ze met een schriftelijke cursus voor dierenartsassistente.

Voor haar twintigste verjaardag in november krijgt Herma van Karin een weekendje samen weg aangeboden. 'En geen weekendje voor jou en Paul, maar een zussenweekend!' benadrukt Karin. Eigenlijk vindt Herma het in eerste instantie niet eens zo leuk, want het weekend is het enige moment dat Paul en zij elkaar zien. Maar als ze eenmaal met Karin in de trein richting Maastricht zit, gaat ze er steeds meer van genieten. Ze merkt dat ze het contact met haar tweelingzus toch meer heeft gemist dan dat ze dacht.

's Avonds in hun hotel liggen ze in bed nog uren te praten, eerst halen ze allerlei herinneringen op, af en toe schudden de bedden van het lachen. Later worden ze serieuzer en praten ze over hun leven van nu, waar ze mee bezig zijn en over hun dromen, die zo heel verschillend zijn.

Als ze op de terugweg weer samen in de trein zitten zegt Karin: 'Laten we afspreken, dat we dit erin houden. Elk jaar samen een paar dagen weg, zonder mannen, kinderen of wat we ook nog krijgen, afgesproken?'

Heel even aarzelt Herma, dan zegt ze: 'Afgesproken!'

In het voorjaar dat volgt studeert Paul af en precies een jaar nadat Herma haar kantoorbaan begon, kan Paul aan de slag in een dierenartsenpraktijk in Pijnacker, een dorp tussen Delft en Zoetermeer. Hij heeft zelfs de keuze tussen deze praktijk en één in Arnhem. Hoewel Arnhem wat meer in de richting van de thuisbasis ligt, spreekt Pijnacker hem toch meer aan, omdat hij daar vooral te maken zal krijgen met de boeren uit de omgeving en in Arnhem is de praktijk vooral gericht op de kleine huisdieren: katten, honden en dergelijke.

Herma is klaar met haar schriftelijke opleiding, maar ze ziet wel dat ze daar voorlopig weinig mee zal kunnen beginnen, ook als ze straks getrouwd zullen zijn en zij bij Paul is. In de praktijk is een assistente aanwezig en Paul is vooral voor de koeien, varkens en schapen aan het werk. 'Maar dat komt ooit wel hoor,' zegt ze, 'als we onze eigen praktijk aan huis hebben, dan weet ik alvast alles van de zorg voor honden en katten.'

De eerste zorg is nu om woonruimte te vinden. Want de trouwplannen staan nog steeds op nummer een van hun wensenlijstje. Dat blijkt in het westen van het land niet zo gemakkelijk te zijn en Paul woont voorlopig op een kamer bij een oude dame in de Oude Leede, een buurtschap bij Pijnacker. Maar kort voor Herma's eenentwintigste verjaardag belt hij haar op een avond op met de mededeling dat hij een heel leuk huisje op het oog heeft. De volgende zaterdag rijdt ze 's morgens al bijtijds in haar vaders auto naar het westen. Samen met Paul gaat ze aan het eind van de ochtend het huis bekijken, het staat aan de buitenkant van Pijnacker. Het is oud, er zal wel het een en ander aan gedaan moeten worden, maar Herma is er bij de eerste aanblik al helemaal weg van. 'O Paul, wat leuk! Die luiken aan de buitenkant!'

'Niet te enthousiast doen waar de makelaar bij is,' fluistert Paul nog snel in haar oor, 'dan gaat er zeker niks van de prijs af.' Vervolgens gaan ze naar binnen. Achter de makelaar lopen ze van de ene kamer naar de andere, er moet inderdaad heel wat gebeuren. Er hebben oude mensen in gewoond, die nooit iets vernieuwd hebben. Maar Herma blijft enthousiast en het kost haar moeite om dat niet te laten merken. Helemaal lukt dat blijkbaar niet, want de makelaar zegt met een glimlach: 'Volgens mij vindt mevrouw het wel mooi?'

Herma trekt gauw een serieus gezicht en zegt: 'Ja, wel mooi, maar er moet vreselijk veel aan gedaan worden. Die keuken is uit het jaar nul en een badkamer is er helemaal niet.'

Paul knijpt haar goedkeurend in de hand en voegt eraan toe: 'En dan die houten vloeren overal, verrotte kozijnen… ik denk dat het opknappen meer kost dan het hele geval waard is.'

De makelaar haalt de schouders op. 'Daar is de vraagprijs dan ook naar, meneer. Als het al gerenoveerd was, zou het gemakkelijk het dubbele opbrengen.'

'We gaan erover nadenken, hè Herma? U hoort eventueel wel van ons.'

Als de makelaar het huis heeft afgesloten, lopen ze ieder naar hun eigen auto. Herma en Paul stappen in, maar als de makelaar is weggereden, stappen ze weer uit en lopen nogmaals om het huis heen. 'Ik vind het zo leuk! En het is toch helemaal niet duur?' zegt Herma.

'Maar er moet echt heel veel aan gedaan worden en we hebben zelf geen tijd om dat allemaal te doen. Als je het moet laten doen is het niet te betalen. Ik weet het niet, hoor, ik ben bang dat het allemaal toch niet haalbaar is voor ons.' Langzaam lopen ze weer naar de auto en rijden nu ook weg. Paul is het weekend vrij en gaat mee naar Drenthe. Onderweg komt het gesprek toch steeds weer op het huis dat ze gezien hebben. 'Joh, er komt nog wel wat,' vindt Paul, 'dit was pas het eerste dat we echt bekeken hebben.'

Maar Herma kan het maar niet loslaten. Ook thuis bij de beide families wordt er uitgebreid over gesproken en ten slotte wordt afgesproken, dat de volgende zaterdag de twee vaders mee zullen gaan om eens te kijken.

'Niet dat ik er enig verstand van heb,' grinnikt vader Kees, 'maar ik ben wel erg benieuwd naar jullie droomkasteel.'

Zo rijdt Herma de volgende zaterdag opnieuw richting Pijnacker, deze keer achter in de auto bij de beide vaders. En weer is ze helemaal gecharmeerd van het huisje, als ze het ziet liggen aan de buitenweg.

Binnen klopt de vader van Paul op een muurtje hier en een vloertje daar, informeert naar de elektrische bedrading en klimt op de kleine vliering. Hij voelt aan de raamkozijnen en plukt er zo maar een stukje verrot hout uit. Hij zegt niet veel, maar schudt het hoofd af en toe. Ten slotte bedanken ze de makelaar, die zwijgend achter ze aan naar buiten is gelopen en stappen weer in de auto.

'Jullie vinden het niks, hè?' vraagt Herma voorzichtig.

De vaders kijken elkaar aan, dan begint de vader van Paul te lachen. 'Er moet veel gebeuren, dat is waar, maar het is een schitterend huisje, tenminste dat kan het worden. Als je nog tien- of vijftienduizend gulden van de prijs af kunt praten, kun je het meest noodzakelijke laten doen. De rest, zoals de keuken en zo, komt dan later wel. Kijk, die houten vloeren, verrotte kozijnen en zeker de elektrische bedrading, dat zijn dingen die echt eerst moeten gebeuren, maar de rest... Met een paar potten verf en een leuk licht behangetje wordt het al een heel ander huis. Aan de andere kant: je moet eerst eens goed op een rijtje zetten, hoe zwaar je komt te zitten met je hypotheek en of dat haalbaar is met het salaris van Paul.'

'Ik kan ook nog gaan werken,' vindt Herma.

'Ja, maar daar moet je niet vanuit gaan, voor je het weet is er misschien een kindje en dan is het afgelopen. Trouwens, voor de hypotheekverstrekker telt alleen het salaris van de man. Wellicht wordt dat in de toekomst anders heb ik pas gelezen, maar voorlopig is dat nog wel zo,' zegt vader Kees.

'Natuurlijk heb ik me daar al in verdiept en ik verwacht dat de prijs van dit huis plus een stukje extra hypotheek voor de eerste verbouwingskosten geen enkel punt zal zijn,' zegt Paul. 'Ik had echt niet gedacht dat we voor dit geld een huis zouden vinden aan deze kant van het land.'

'Nou, huis... het is meer een bouwval,' grinnikt zijn schoonvader, 'maar ik heb het er al met mamma over gehad: jullie krijgen van ons een badkamer, als het allemaal doorgaat natuurlijk. Ga eerst maar eens een bod uitbrengen.'

Daarna is de zaak al snel beklonken. Het huis wordt gekocht voor tienduizend gulden minder dan de vraagprijs en Herma is door het dolle heen. Omdat het huisje al leegstaat, kunnen ze er direct in en algauw worden alle vrije zaterdagen benut om aan het werk te gaan. Maar allereerst komt er een electricien, die alle bedrading vernieuwt en een aannemer, die zorgt voor nieuwe kozijnen en vloeren. Ook wordt er beneden een stukje aangebouwd, voor een mooie badkamer met toilet. En nu kan de familie aan het werk: er wordt geschilderd en behangen, de oude keuken met het granieten aanrechtblad krijgt nieuwe kastjes en wordt verder in oude staat gelaten. 'Het heeft wel iets,' vindt Herma, 'zo'n keuken hoort bij dit huis. We kunnen dat altijd later nog eens veranderen als we meer geld hebben, toch?' vraagt ze aan Paul.

'Ik vind het best, als jij het niet erg vindt? Het maakt mij niet uit. Later kan ik er misschien zelf wel een nieuwe keuken inzetten, hoewel de ruimte natuurlijk beperkt blijft.'

De trouwdatum is vastgesteld op woensdag 22 april en het ziet ernaar uit dat alles mooi op tijd klaar zal zijn.

Als Karin en Herma op een dag in februari samen aan het werk zijn in het nieuwe huis vraagt Karin: 'Zijn we niks vergeten, zus?'

'Vergeten, hoezo?' Herma kijkt naar de muur die ze aan het behangen zijn.

Karin schiet in de lach, 'Nee, niet aan die muur of zo. Onze afspraak om elk jaar samen een paar dagen weg te gaan. Onze verjaardag is allang voorbij en we hebben helemaal niks gedaan. Wat denk je: lukt het nog binnenkort?'

Herma blijft staan met de plakselborstel in de hand en schudt het hoofd: 'Nee, sorry Kaar, daar komt deze keer echt niks van. Laten we maar een keertje overslaan. Tot we weer jarig zijn of zo. Ik zie dat nu echt niet zitten. We hebben al ons geld en onze vrije tijd nodig om het hier in orde te krijgen.'

'Dat begrijp ik wel, maar ik vind het wel jammer, we spreken elkaar tegenwoordig bijna nooit meer, niet echt bedoel ik.'

'O, dat komt wel weer. Als ik straks hier woon, zitten we weer een stuk dichter bij elkaar. Van Amsterdam naar hier is heel wat korter dan naar Drenthe. Je komt maar zo vaak als je wilt.'

'Ja, of jij naar mij,' zegt Karin, 'dat is even ver hoor. Voorlopig heb je misschien toch ook nog geen werk, of ben je al aan het zoeken?'

'Ja, ik heb al wat kranten nagekeken of er wat voor me instaat. Het liefst hier in Pijnacker of anders in Zoetermeer of Delft. Tot nog toe was er niet echt iets dat me aantrok, maar ik wil toch eigenlijk per 1 mei wel iets hebben. We kunnen het geld goed gebruiken, al heeft Paul een prima inkomen. Maar er moet nog zoveel aan het huis gebeuren. En wat dacht je van de tuin? Dat is ook een wildernis, dus ook daar gaat veel tijd en geld inzitten.'

Karin is op een krukje gaan zitten en kijkt haar tweelingzus aan. 'Dat jij toch al gaat trouwen! Soms kan ik het bijna niet geloven, onze levens komen wel heel ver uit elkaar te liggen. Je weet het toch wel zeker, hè, ik bedoel dat je dit nu al wilt? Ik zou er niet aan moeten denken.'

'Bedoel je om Paul, of in het algemeen?'

'In het algemeen natuurlijk. Paul is prima, ik vind hem een leuke vent, dat weet je. Nee, gewoon het idee om op je eenentwintigste je hele toekomst al vast te leggen, al helemaal huisje-boompje-beestje, daar zou ik niet aan moeten denken.'

'Tja, daarin verschillen we dan. Ik vind het heerlijk, gewoon lekker ons eigen plekje en misschien over niet al te lange tijd een paar kindertjes, dat hoop ik echt.'

Herma moet lachen als ze ziet dat Karin haar bijna met afgrijzen aankijkt terwijl ze zegt: 'Herma, je bent eenentwintig! Ik zou met die kindertjes maar rustig aan doen, hoor!'

Herma haalt de schouders op: 'We zien wel, eerst maar zorgen dat het huis op tijd klaar is. Wat denk je, doen we nog een wand of vind je het genoeg voor vandaag?'

'Laten we het maar afmaken, dan is deze kamer helemaal klaar.'

En het lukt allemaal. Begin april is alles zo'n beetje klaar, de laatste week komen de meubels die ze uitgezocht hebben en dan staat het huis te wachten op hun huwelijksdag.

De avond voor het huwelijk komt Karin ook naar Drenthe en voor het slapen gaan komt ze nog even bij Herma op de kamer. Herma ligt er al in en slaat de dekens open. 'Hier, kom even bij me liggen, anders krijg je koude voeten.'

Karin gaat naast haar liggen. 'Net als vroeger, als we bij oma logeerden, dan sliepen we ook altijd samen in een eenpersoonsbed.'

Herma lacht. 'Ja, wat oma ook zei, we wilden per se bij elkaar slapen. Dat voelde veilig, denk ik.' Ze liggen stil naast elkaar.

'Zenuwachtig?' vraagt Karin dan.

'Niet echt zenuwachtig, maar wel spannend. Volgens mij kan ik in geen uren slapen.'

De rest van de familie slaapt al, oma is er ook, zij is al vroeg naar boven gegaan. 'Anders houd ik het morgen geen hele dag vol!' zei ze, toen ze om negen uur de trap op ging.

'Zo ook gaan slapen hoor!' Moeder Hanny steekt haar hoofd om de hoek van de slaapkamerdeur. 'Anders hebben we morgen een bruid met een verpieterd hoofd.' Dan doet ze de deur weer zachtjes dicht.

'Ja, ik ga eens naar mijn eigen bedje,' zegt Karin terwijl ze omhoog komt.

'Weet je nog, Kaar, dat we vroeger als we bij oma logeerden altijd probeerden om de poes mee naar bed te nemen?'

Karin laat zich weer terugvallen op het kussen. 'Ja, en als oma dan vroeg of we haar gezien hadden, dan stopten we haar onder de dekens.' Ze lachen zachtjes en Herma zegt: 'Tot die keer, dat ze jouw been openkrabde omdat ze het benauwd kreeg.'

'En die keer, toen Jasper ons in de kast had gestopt bij oma en de sleutel kwijt was! Oma was toen echt boos.'

Zo komt de ene herinnering na de andere boven tot Herma vraagt: 'Kaar, hé Karin...' Naast zich hoort ze aan de rustige ademhaling dat haar zus in slaap is gevallen. Voorzichtig schuift ze een stukje op en draait zich op haar zij. Algauw valt ook zij in slaap en ondanks de verwachte slapeloosheid wordt ze pas wakker als haar moeder de volgende ochtend met een ontbijt voor haar bed staat. 'Kijk nou, we hebben twee bruiden!' Bij de deur staat ook oma, die lacht en zegt: 'Dat vind ik nou een mooi eind van je vrijgezellentijd: samen wakker worden met je twee-lingzusje.'

De trouwdag verloopt volgens het boekje. Er gaat niks fout en Herma is een stralende bruid. 's Morgens gaan ze eerst met de fotograaf op pad, om twee uur trouwen ze in het gemeentehuis en om drie uur begint de kerkdienst. Eigenlijk gaat alles een beetje langs Herma heen. Ze houdt zich steeds voor dat dit de mooiste dag van haar leven is, maar het is net een film waarnaar ze zit te kijken. Gelukkig wordt er een bandje opgenomen van de kerkdienst, zodat ze die later nog eens rustig kan beluisteren en verder worden er de hele dag door foto's gemaakt.

Na de kerk is er een receptie, daarna een diner met de naaste familie en 's avonds nog een feest voor alle vrienden en beken-den. Om halfeen neemt het bruidspaar afscheid. Ze zullen in een hotel in de buurt logeren en morgen naar hun nieuwe huisje gaan.

Herma merkt dat het afscheid van haar tweelingzus haar het zwaarst valt, dat had ze niet verwacht. Ze had het meest opgezien tegen het afscheid van haar ouders, die ze toch niet zo heel dikwijls meer zal zien als ze in Pijnacker woont. Ze ziet tranen in haar moeders ogen als ze elkaar omhelzen. 'Dag meisje van me! Heel veel geluk en we komen gauw, hoor! En jullie zijn altijd welkom, dat weet je!'

Ook haar vaders stem is wat onvast als hij afscheid van haar neemt, maar Karin barst echt in huilen uit en dat is helemaal niets voor haar. De twee zusjes houden elkaar een hele poos vast, dan zegt Paul nuchter: 'Kom op, meiden, Amsterdam en Pijnacker liggen tamelijk dicht bij elkaar, hoor! En als het nodig is bouwen we in de schuur wel een hokje voor Karin.' Dan breekt de spanning en een beetje beschaamd laten ze elkaar los. 'Als het wittebrood op is, kom ik gauw langs,' zegt Karin.

'Nou, daar hoef je geen zes weken mee te wachten, hoor; eerder ben je ook welkom. Ik heb een week vakantie, daarna begint het gewone leven weer en zolang Herma nog geen werk heeft gevonden is ze blij met iedere afleiding, denk ik.' Paul heeft z'n arm om Herma's schouder geslagen en dan lopen ze naar de auto. Ze zwaaien naar de achterblijvers, dan rijden ze weg.

'Waarom komen Karin en Jasper niet?' vraagt ze.

'Jasper en Marleen zijn eergisteren geweest en Karin gister-
avond, weet je dat niet meer? Herma, je zei een hele zin achter
elkaar, je gaat echt vooruit!'

Ze reageert niet op dat laatste. Is Karin gisteren geweest? Gek,
daar weet ze niks meer van. 'Weet je het zeker, Karin?'

'Dat ze geweest is? Ja, echt hoor!'

De man naast haar bed houdt haar hand vast. Ze noemt hem
in gedachten nog steeds 'de man'. Hij heet Paul en iedereen zegt
dat ze met hem getrouwd is. Dat maakt haar soms bang, ze kent
hem immers helemaal niet. Toch voelt het goed als hij er is en
haar hand vasthoudt. Soms denkt ze dat ze droomt en straks
wakker zal worden, gewoon naast Karin in het grote bed bij oma
of thuis bij pappa en mamma. Haar hoofd is moe, ze is blij als
hij opstaat om weg te gaan. 'Morgen komen Karen en Job, vind
je dat leuk?'

Karin en Job? Heeft Karin een vriend die Job heet? Het is
haar best. Ze knikt.

7

De eerste tijd dat ze in Pijnacker wonen zoekt Herma naar
een baan als dierenartsassistente, maar na een tijdje merkt
ze dat dat niet zo gemakkelijk zal lukken. Als er al eens een
advertentie staat en ze schrijft erop, blijkt steeds weer haar ge-
brek aan ervaring in haar nadeel te werken. 'Ja, zo krijg ik nooit
ervaring ook!' moppert ze tegen Paul, als ze opnieuw een afwij-
zing heeft gekregen.

'Joh, het is zomer, ga daar eerst eens lekker van genieten. Je
bent hartstikke druk in de tuin en dat neemt nog wel wat tijd in
beslag. En met mijn onregelmatige diensten is het toch ook wel
gezellig dat jij thuis bent als ik vrij ben?'

'Ja, dat wel, maar ik voel me zo nutteloos als jij wel aan het werk bent. Wat moet ik nou doen de hele dag? De tuin is aardig op orde, meer dan wat onkruid weghalen af en toe hoef ik niet meer te doen.'

'Waarom ga je niet een opleiding of een cursus volgen? Je wilde toch eigenlijk kraamverzorgster worden? Nou, die zijn hier ook nodig hoor.'

Verbaasd kijkt Herma hem aan. 'Meen je dat nou?'

'Ja, waarom zou ik dat niet menen? Je bent eenentwintig jaar, Herma, daar had je vader eigenlijk wel gelijk in, je bent te jong om achter de geraniums te gaan zitten wachten tot je man thuiskomt.'

'Nou ja! Alsof ik dat doe!'

'Nee, natuurlijk niet, het is maar een grapje, maar je zegt zelf dat je weinig te doen hebt overdag. Nou, informeer dan eens naar zo'n opleiding. Het is altijd goed om voor jezelf te kunnen zorgen, je weet nooit hoe het leven loopt.'

'Pfff, nu lijk je echt mijn vader wel! En als ik dan zwanger word midden in m'n opleiding?'

'Misschien moeten die kinderen even wachten tot je klaar bent en je je diploma hebt. Of ben je bang dat je dan te oud bent?' Hij woelt door haar lange haren. 'Nee meisje,' gaat hij dan serieus verder, 'als er eerder een kindje komt is het ook prima. Maar daar moet je niet op gaan zitten wachten. Alles wat je leert in zo'n opleiding is meegenomen, al is het maar voor je eigen kinderen, toch? En een studie kun je altijd later weer oppakken.'

Ze knikt. 'Ik zal eens informeren.' Eigenlijk krijgt ze er gelijk zin in. Na haar eindexamen heeft ze het van zich afgezet omdat ze geld wilde gaan verdienen en ze heeft er helemaal niet bij stilgestaan dat het alsnog kan.

De zomerweken lijken nu opeens vakantie, ze geniet nog van haar vrijheid en verveelt zich niet meer. Ze gaat een donderdag naar Delft, waar ze heerlijk over de markt rondloopt en langs de gracht op de bloemenmarkt nog wat plantjes voor hun tuin aanschaft. Ze gaat een dag naar het zwembad en als Karin een paar dagen komt, rijden ze naar het strand. 'Nu kan het nog, straks moet ik hard aan de studie,' zegt ze tegen haar zus. Die lacht en antwoordt: 'Zie je wel, dat getrouwd zijn niet het einddoel moet zijn als je eenentwintig bent. Trouwens, wanneer komt ons jaarlijkse uitstapje deze keer? Kijk je agenda maar alvast na en plan maar iets in de buurt van onze verjaardag, oké?'

'Ik kijk nog wel, ik moet eerst weten hoeveel tijd er in mijn studie gaat zitten. Ik ga morgen informeren naar het wat en hoe.'

Maar als ze gaat informeren naar de opleiding is haar enthousiasme gelijk verdwenen. Ze kan weliswaar in september al beginnen, maar het is een interne opleiding van maar liefst drie maanden, waarbij ze alleen op woensdagavond en het weekend vrij is. Daarna moet ze een jaar stage lopen, waarbij nog één avond per week lessen moeten worden gevolgd.

'Daar heb ik echt geen zin in,' moppert ze 's avonds tegen Paul, 'stel je voor: ben je getrouwd en dan moet je drie maanden, intern! Drie maanden, het lijkt wel militaire dienst!'

Paul moet lachen. 'Nou, dat duurt langer dan drie maanden hoor! Wees maar blij dat ik platvoeten heb en afgekeurd ben, anders had ik nu in dienst gezeten.' Dan wordt hij serieus en zegt: 'Herma, als je het echt graag wilt, dan zijn die paar maanden toch wel om overheen te komen? Ik red me wel, ik heb tenslotte jaren op kamers gewoond als student. Dus mijn potje kan ik wel koken en in het weekend zijn we heerlijk samen. Je moet het gewoon doen, denk ik.'

'Mis je me dan niet?' vraagt ze wat verongelijkt.

'Tuurlijk zal ik je missen,' hij trekt haar op z'n schoot, 'maar ik vind dat we er ook niet te dramatisch over moeten doen, drie maanden zijn zo voorbij. Denk er nog maar eens goed over na.'

Herma loopt er nog een paar dagen over te piekeren, maar dan besluit ze om zich toch in te schrijven. Al snel krijgt ze bericht dat ze begin september welkom is. Ze houdt er een wat dubbel gevoel bij: aan de ene kant heeft ze er zin in, aan de andere kant ziet ze ertegenop.

Maar als ze eenmaal begonnen is, heeft ze het goed naar haar zin. Ze deelt haar kamer met een jonge vrouw van achtentwintig, die net als zij al getrouwd is. Dat geeft een extra band, vindt Herma. En eigenlijk zijn de drie maanden ook weer zo voorbij. Het is heerlijk om vrijdag eind van de middag naar huis te gaan en het weekend bij Paul te zijn.

Ze genieten nog steeds van hun huisje en ze zijn het erover eens, dat ze geen mooier plekje hadden kunnen vinden om te wonen. Ook kerkelijk hebben ze een fijne gemeente gevonden waar ze zich thuis voelen en Paul heeft zich al laten overhalen om deel te nemen aan het jeugdwerk. Hij leidt een jeugdclub voor twaalf- tot zestienjarigen en ook daardoor leren ze snel heel wat mensen kennen.

Als hun tweeëntwintigste verjaardag eraan komt, vraagt Karin als ze op een zaterdagmiddag bij Herma op de bank zit: 'Hé, moeten we niet eens plannen gaan maken voor onze zussendag?'

Herma ligt languit op de andere bank. 'Weet je hoe moe ik ben! De hele week les en zaterdags boodschappen en m'n huis! Er komt nu echt even niks van hoor, sorry!'

'Volgens mij overdrijf je nu. Toen ik hier vanochtend aankwam, was jouw lieve man aan het stofzuigen en de rest zag er ook al piekfijn uit. Dus volgens mij hoef jij niet zoveel te doen zaterdags. En anders gaan we op een zondag, dat kan toch ook wel voor een keer, of heb je geen zin om samen weg te gaan?'

'Natuurlijk vind ik het leuk om wat samen met jou te doen. Maar ik zie het nu echt even niet zitten. Als ik de hele week weg ben geweest, wil ik het weekend bij Paul zijn, dat begrijp je toch wel?'

'Jawel, maar je opleiding is toch bijna klaar, dan ga je stage lopen en ben je alleen overdag weg. Misschien dan een keer in het weekend?'

'Dat zou kunnen, op een zaterdag dan. Hoewel ik natuurlijk ook wel in het weekend moet werken. Baby's komen nou eenmaal niet alleen door de week. Nou ja, we zien wel, misschien moeten we wachten tot het voorjaar, dan is het altijd leuker om even weg te gaan.'

'Hoor eens, Herma, als jij geen zin hebt moet je het gewoon zeggen. Ik begin er nu niet meer over en laat het aan jou over. Ik hoor het wel, als het je uitkomt.'

Herma knikt: 'Hoe gaat het met jouw opleiding, nog steeds leuk?'

Karin begint enthousiast te vertellen en het gezamenlijke uitje is weer naar de achtergrond.

'En de mannen in Amsterdam, niet stiekem verliefd?' vraagt Herma. 'Ik wil weleens een zwager hoor!'

'Mij voorlopig niet gezien, ik houd van m'n vrijheid! Dan kun je tenminste op stap wanneer je maar wilt.'

Herma geeft maar geen antwoord, want klinkt er toch weer een wat cynische ondertoon in Karins woorden?

Als Karin allang weer naar huis is, zit Herma nog na te denken over de woorden en houding van haar zus. Hun hele kinder- en pubertijd was Karin degene die altijd het voortouw nam, de meeste aandacht vroeg en kreeg. En zijzelf volgde haar zus meestal. Daar waren ze allebei tevreden mee. Maar de laatste jaren is het veranderd, eerst al toen ze verkering had met Harry en zeker later met Paul, hun serieuze plannen, het huwelijk en niet te vergeten de ontwikkeling in haar geloof. Soms lijkt het of Karin niet goed kan verdragen dat zij haar eigen weg gaat, haar eigen plan trekt. Of verbeeldt ze zich dat maar? Is het omdat ze het juist zelf zo voelt, als het loslaten van haar zus, die altijd de sterkste was. Eigenlijk is ze wat dat betreft overgestapt van Karin naar Paul.

Maar dan schrikt ze van haar eigen gedachten. Zó onzelfstandig is ze toch niet? Of toch wel? Het is in elk geval goed dat ze zich deze dingen bewust is. Ze wil geen vrouw worden die te veel aan haar man hangt, niet in die zin tenminste. Ze wil een goede, gelijkwaardige en sterke echtgenote zijn voor Paul en niet een groot kind, waar hij op zijn tijd niet op zou kunnen steunen. Hun huwelijk, dat is en blijft het beste huwelijk dat maar denkbaar is!

Dan staat ze op, kom, ze gaat eten klaarmaken. Haar lieve echtgenoot komt zo thuis!

Ook al heeft ze erg opgezien tegen de drie maanden van haar interne opleiding, als het voorbij is moet Herma toegeven dat het toch wel meeviel. Eigenlijk vloog de tijd voorbij. Begin december zal ze aan haar stage beginnen, maar eerst komt haar verjaardag nog. Paul doet al dagen geheimzinnig en als ze de avond voor haar verjaardag in bed liggen, zegt hij dat ze het cadeau de volgende dag samen zullen gaan ophalen.

'Ophalen? Is het zo groot, kun je het niet mee naar huis brengen?' vraagt Herma nieuwsgierig.

'Ik zal een tipje van de sluier oplichten,' plaagt Paul haar, 'het is eigenlijk een dier.'

'Een dier? Wat dan, een hond of een kat zeker? Hoewel een hond niet praktisch zou zijn als we allebei werken.'

'Het is geen hond en ook geen poes, maar hij heeft wel flinke afmetingen.'

'Dus ook geen cavia of zo, past-ie achter in onze auto? Hè Paul, zeg het nou!'

'Dan is het geen verrassing meer en je houdt toch zo van verrassingen?'

'Nu niet, een dier is toch iets wat je samen beslist, vind ik het echt wel leuk? En moet hij binnen of buiten, hè Paul zeg het nou, anders kan ik niet slapen.'

'Nou vooruit, alleen z'n kleur zeg ik niet, oké? Het is een geit!'

'Een geit? Wat moet ik daar nou mee?' Herma gaat rechtop zitten. Paul duwt haar weer achterover. 'Liggen en slapen, je wilde het toch zelf weten? Je zult zien; als je hem ziet ben je er gelijk weg van.'

Ze hoort de lach in zijn stem, dan kust hij haar en zegt: 'En nu stil, slapen!'

De volgende dag, zaterdag, moet Paul werken, maar hij komt al vroeg in de middag thuis. Snel doucht hij zich en kleedt zich om, dan zegt hij: 'Zo, nu gaan we gauw je cadeau ophalen, voordat de familie komt.'

'Hoe wou je die geit meenemen, achter in de auto of zo, dat lijkt me niet mee te vallen.'

'Kom nou maar, misschien vind jij het toch wel geen geit maar een ander dier, je ziet het vanzelf.'

Herma haalt haar schouders op en zegt maar niks meer. Even later rijden ze het terrein van een garagebedrijf op. 'Zo, we zijn er, stap maar uit.' Paul loopt voor haar uit naar een grasgroene lelijke eend, waarop een bordje 'verkocht' staat. Triomfantelijk draait hij zich om: 'Mevrouw, uw groene geit!'

Herma's mond zakt open, dan vliegt ze hem om de nek. 'O Paul, wat leuk! Is-tie echt voor mij?' Maar dan laat ze hem los en vraagt zachtjes: 'Kunnen we ons dat wel permitteren, twee auto's?'

'Hoe wil je anders bij nacht en ontij naar je baby's gaan binnenkort? En je gaat toch ook verdienen? Nee, die geit is echt nodig, hoor.'

Inmiddels is de verkoper van de garage naar buiten komen lopen. 'En is de eend naar mevrouw d'r zin, het was een verrassing had ik begrepen?'

'Hij is prachtig,' zegt Herma, 'alleen snapt mijn man het niet helemaal, hij denkt dat het een geit is.'

Nu lacht de verkoper en vraagt aan Paul: 'U bent toch de nieuwe dierenarts?' Als Paul knikt, gaat hij verder tegen Herma: 'Tja, dan heeft uw man toch waarschijnlijk wel zoveel verstand van dieren dat hij het verschil tussen een eend en een geit ziet?'

'Dat is wel te hopen!' vindt Herma.

'Ik denk dat hij ook wel iets van auto's weet, zoals wij de deux chevaux 'lelijke eend' noemen, zo heet hij in België 'geit'.'

'Flauw, hoor,' vindt Herma, maar dan loopt ze om haar autotje heen en vraagt: 'Hoe nemen we hem mee naar huis?'
'Wat dacht je? Jij rijdt natuurlijk.'
Even later rijden ze achter elkaar het terrein bij het garagebedrijf af. Herma merkt dat dat nog niet meevalt, ondanks de aanwijzingen van de verkoper. Het schakelen gaat heel anders dan bij hun andere auto en met een paar sprongetjes trekt ze dan ook op. Maar ze komen veilig thuis, waar Paul haar een beetje uitlacht als ze nog een paar keer oefent met optrekken en wegrijden.

'Zie je nou dat het een geit is, je laat hem allerlei bokkensprongen maken. Maar je zult zien dat het snel genoeg went.'

Herma is echt blij met haar eigen wagentje en als een uurtje later de familie komt, moeten ze allemaal uitgebreid om haar 'geit' heen lopen en hem bewonderen voordat ze naar binnen mogen. Paul maakt een foto van haar naast de auto. 'Voor het nageslacht, als die niet weten hoe vroeger een geit eruitzag.'

Ook Karin komt naar Pijnacker om samen met haar zus hun verjaardag te vieren. Herma herkent haar eerst bijna niet, als ze voor de deur staat. Karins voorheen lange, donkerblonde haren zijn heel kort geknipt en hebben een donkerrode kleur gekregen. 'Joh! Wat heb je nou gedaan!' schrikt Herma. 'We leken altijd best op elkaar, maar nu zijn we helemaal geen tweeling meer.'

Karin lacht. 'Vind je het leuk? Jij zou het natuurlijk ook kunnen doen, zo gebeurd hoor.'

'Eh... nou nee, het staat jou wel, maar het is niks voor mij.'

Karin staat ondertussen voor de gangspiegel en trekt Herma naast zich. 'Kijk, nu zijn we niet alleen innerlijk, maar ook uiterlijk tegenpolen.' Maar dan slaat ze haar armen om Herma heen, kust haar en zegt: 'Van harte gefeliciteerd, zussie! Van wie is trouwens die leuke eend buiten?'

'Jij ook gefeliciteerd! Dat is mijn verjaardagscadeau van Paul, gaaf hè?'

'Echt? Doe maar ruig! Ik kan zien waar het geld zit. Twee auto's voor de deur.' Zonder commentaar af te wachten loopt Karin dan door naar de kamer, waar ze zich door iedereen laat feliciteren. De laatste woorden van Karin steken Herma wel een beetje en weer vraagt ze zich af: is haar zus jaloers?

Pas 's avonds, als verder iedereen is vertrokken en alleen Karin nog bij Herma en Paul is achtergebleven en ze met een glas wijn bij elkaar zitten, komt Herma terug op de woorden van Karin, eerder die middag. 'Vind je het raar,' vraagt ze, 'dat we een tweede autootje hebben?'

'Welnee, je zult het wel nodig hebben voor je werk binnenkort.' Karin zegt het heel rustig.

Dan staat ze op. 'Ik moet ook eens gaan, hoe laat gaat die bus ook al weer precies?'

'Hè? Moet je nog naar huis? Ik dacht dat je tot morgen zou blijven! Joh, het is al zo laat, voor je in Amsterdam bent…'

Karin lacht: 'Kom op zus, je wordt al echt een dorpeling! Het leven in de stad gaat nog wel een paar uurtjes door, hoor, ik moet daar toch ook m'n verjaardag nog vieren?'

Paul zet z'n wijnglas neer en zegt: 'Gelukkig heb ik pas een paar slokjes genomen. Kom, dan brengen we je naar het station in Zoetermeer, dan hoef je niet met de bus.'

Als ze een halfuurtje later samen weer naar huis rijden, is Herma stil.

'Moe?' vraagt Paul, terwijl hij z'n hand op haar knie legt.

'Een beetje, maar ik zit eigenlijk over Karin te denken, we groeien steeds verder uit elkaar en eigenlijk vind ik dat helemaal niet leuk.'

'Tja… jullie zijn al heel verschillend van karakter en dat gaat zich steeds duidelijker manifesteren naarmate je ouder wordt en allebei een andere kant op gaat in het leven. Maar ergens blijft ze toch altijd je andere helft, denk ik.'

Herma knikt in het donker van de auto, dan zijn ze thuis.

De eerste maand van haar stageperiode zal Herma niet snel vergeten, alleen al vanwege het weer. Die hele decembermaand is het echt winter. Het is koud, er ligt sneeuw en doordat het steeds blijft vriezen, verdwijnt de sneeuw ook niet. Ze is echt blij met haar autootje, anders zou ze heel wat keren kou moeten lijden op de fiets. Hij start altijd, zelfs bij de veertien, vijftien graden vorst die eind december wordt gemeten. Ze vindt het alleen soms een beetje eng om over de gladde, besneeuwde wegen te rijden. In de gezinnen waar ze haar stage loopt, heeft ze het goed naar haar zin, ze weet nu zeker dat ze de goede keus heeft gemaakt met deze opleiding. Het enige nadeel is dat ze nu beiden onregelmatig werken, waardoor ze elkaar soms dagen achtereen nauwelijks zien. Toch heeft Herma geen spijt, haar vader en Paul hebben gelijk gehad toen ze haar aanraadden om een opleiding te gaan doen.

Zo vliegt de tijd voorbij. In het voorjaar begint Paul tijdens z'n vrije dagen aan de keuken. Herma wist niet dat hij zo handig was. De oude aanrechtkastjes waren al vervangen, nu maakt hij ook boven het aanrecht een stel mooie hoge kasten, zodat er veel meer bergruimte komt. Daarna gaat hij boven in de lege kamers aan het werk. Eerst worden er dakkapellen opgezet, daarna timmert Paul het zelf verder af. Opeens wordt het huis een stuk groter, lijkt het wel.

'Wat een verschil met toen we het kochten, hè? Het is echt super!' vindt Herma.

Aan het eind van de zomer is het helemaal klaar. Herma is vanaf het voorjaar steeds bezig geweest in de tuin, dus zowel binnen als buiten is het helemaal hun droomhuis geworden.

'Er ontbreekt nog maar één ding,' zegt Herma, als ze op een warme avond in augustus samen in de tuin zitten.

'En dat is?'

'Een wiegje, boven in de lege kamer.'

Paul lacht. 'Dat komt hopelijk ook nog wel meisje, rustig aan, alles op z'n tijd. Jij zou eerst je opleiding afmaken, weet je nog?'

Herma schokschoudert. 'Die is toch bijna klaar, nog een paar maanden stage, dan heb ik m'n diploma op zak.'

'Laten we dat even afwachten dan. Kom op, Herma, je bent tweeëntwintig en ik een paar jaar ouder. Laten we het nog even rustig aan doen, goed?'

Opnieuw haalt Herma haar schouders op. 'Ik wil echt graag een baby, Paul.'

Hij trekt haar op schoot. 'Ik ook, maar ik wil ook dat jij even geniet van deze tijd, ons huisje, je baan, het kunnen gaan en staan waar we willen. Waarom ga je niet eens een paar dagen met Karin weg? Ze heeft het al zo vaak voorgesteld. Soms denk ik weleens dat ze, ondanks al haar vrienden, haar studie en haar drukke sociale leven, hartstikke eenzaam is.'

'Meen je dat nou?' Verbaasd kijkt ze hem aan. 'Ik merk daar niks van, hoor. En een paar dagen... nee, daar heb ik echt geen zin in. Ik kan weleens een dagje naar haar toe gaan, beetje de stad in, wat winkelen en zo. Ik zal het haar binnenkort voorstellen.'

Eind van het jaar krijgt Herma haar diploma. Nu mag ze zelfstandig aan het werk. Ze geniet er nog steeds van bezig te zijn in de gezinnen waar een kindje is geboren. Bijna altijd is het feest in de huizen waar ze komt. Soms niet, ze maakt het eerste jaar twee keer mee dat ze in een gezin komt waar de baby tijdens of direct na de geboorte is overleden. Moeilijk vindt ze dat. Het verdriet van de jonge ouders, het lege wiegje. Zo kan het dus ook gaan.

Door alles heen gaat ze steeds meer verlangen naar een eigen kindje, een kindje van Paul en haar samen. Ook voor Paul gaat het idee steeds meer leven, hij loopt al te denken of hij wellicht zelf een wiegje kan maken als het zover is. Maar tot nog toe raakt ze niet zwanger.

Zo komt haar vierentwintigste verjaardag in zicht. Een paar weken ervoor staat opeens Karin voor de deur.

81

'Karin! We hebben elkaar veel te lang niet gezien!' Herma slaat haar armen om haar zus heen. 'Hoe is het met je?'

'Met mij goed, en met jou?' Karin maakt zich los en gaat voor de spiegel staan, ze haalt haar vingers door haar korte rode haren. Dan draait ze zich weer om naar Herma. 'Ik kom om een afspraak met je te maken.'

'En afspraak, hoe bedoel je?'

'Voor ons zussen-uitstapje! Binnenkort zijn we weer jarig, de laatste jaren had je steeds een excuus, dus laten we nu echt eens wat afspreken. Je hebt geen cursus, geen stage en ook nog geen kindertjes, dus nu of nooit!'

'Nou, ik... ik weet eigenlijk niet...' aarzelt Herma.

'Bovendien ga ik binnenkort naar Amerika, ik ga daar een halfjaar stage lopen.'

'Dat meen je niet! Dan zien we elkaar helemaal niet!'

'Alsof we elkaar nu zo vaak zien! Kom op, Herma, het moet altijd van mij uitgaan, wanneer kom jij nou eens naar Amsterdam?'

'Nee, je hebt gelijk. Ik ga gelijk naar m'n rooster kijken en anders neem ik een paar dagen vrij. Wat zullen we doen, weer naar Maastricht?'

'Maakt mij niet echt uit, maar misschien is het leuker nu een andere stad te pakken, wat dacht je van bijvoorbeeld Antwerpen?'

Ze zijn ondertussen in de kamer gaan zitten. 'Is Paul er niet?' vraagt Karin.

'Nee, hij heeft dienst. Ik wil trouwens wel eerst even met hem overleggen, hoor.'

Karin maakt een grimas. 'Blij dat ik alleen ben, hoef ik tenminste met niemand rekening te houden.'

'Ja, ben je daar echt blij om, ik bedoel dat je alleen bent?' Herma kijkt Karin onderzoekend aan.

Karin lacht. 'Ja hoor, lang leve de vrijheid!' Maar haar lach komt wat geforceerd over op Herma.

Dan komt Paul binnen, Herma laat het onderwerp maar rusten. Ook hij begroet Karin enthousiast en hij juicht het plan van harte toe, dat de twee zusjes eens lekker samen weg gaan. Ze maken de hele avond plannen en Herma krijgt er steeds meer zin in. Als ze aan het eind van de avond Karin op de trein hebben gezet, bedenkt ze bij zichzelf dat het echt goed is om eens samen weg te gaan en alle tijd en aandacht voor haar zus te hebben. Ze neemt zich voor om te proberen om door het afwerende masker dat Karin tegenwoordig zo vaak lijkt op te hebben, heen te breken en erachter te komen hoe het nu echt met haar zus gaat.

Maar tijdens hun uitstapje blijkt opnieuw hoe verschillend hun levens en idealen zijn geworden. 'Ik heb soms het gevoel dat we elkaar steeds meer kwijtraken,' zegt Herma een beetje verdrietig als ze zaterdagavond weer op weg zijn naar huis. Vrijdagochtend zijn ze al vroeg weggereden in de eend van Herma. Ze hebben in Antwerpen twee dagen gewinkeld, in gezellige restaurantjes gezeten en vooral veel gepraat. Maar telkens weer is het Herma opgevallen, dat ze nauwelijks begrip op kan brengen voor de wijze waarop haar zus in het leven staat en andersom is dat hetzelfde, dat is duidelijk.

Karin geeft niet gelijk antwoord, ze haalt alleen even de schouders op. Dan zegt ze: 'Tja, we zijn nou eenmaal heel verschillend, misschien zijn we dat altijd al geweest. Maar toen we nog thuis woonden, samen naar school gingen en zo, viel dat minder op. Maar als ik jou hoor praten over een baby als je grootste wens, God als je grootste krachtbron, tja, dan kan ik je echt niet volgen. Mijn grootste wens op dit moment is een leuk en avontuurlijk leven in Amerika en de kracht moet je uit jezelf putten, niet uit God of wat ook.'

Herma weet niet wat ze daarop moet zeggen. Karin spreekt hiermee inderdaad heel nuchter de grote verschillen tussen hen beiden uit.

'Maar zusje,' en Karin klopt haar even op de knie, 'we zijn en blijven tweelingzussen, toch?'

Herma knikt, terwijl ze haar blik voor zich op de weg houdt. 'Dat natuurlijk wel, maar soms mis ik je echt. Vroeger deelden we alles met elkaar.'

'Vroeger ja, maar daar heb jij Paul nu voor.'

Zwijgend rijden ze het laatste stuk naar huis.

Er komen steeds mensen die ze niet kent. Ze vertellen wie ze zijn, maar het zegt haar allemaal niets. Ze vergeet de namen ook weer snel. Ze weet nu dat ze een ongeluk heeft gehad, maar ook daar herinnert ze zich niets van. Ze heeft ernstig hersenletsel opgelopen, waardoor ze zich dingen niet kan herinneren. 'Komt dat weer goed?' heeft ze gisteren aan de dokter gevraagd. Hij aarzelde met z'n antwoord. 'Het zal nooit helemaal herstellen,' zei hij toen, 'maar het kan nog wel een stuk verbeteren.'

Het is raar: ze kan zich er niet eens echt druk om maken. Ze leeft bij de dag, de mensen die komen zijn vriendelijk, maar het is ook vermoeiend. Ze is altijd blij als iedereen weer weg is en het licht 's avonds uit gaat. Dat voelt veilig.

Gisteren keek ze in de spiegel, voor het eerst na haar ongeluk. Ze is geschrokken. De verpleegkundige die haar de spiegel voor-hield, begreep haar schrik verkeerd. 'Die littekens trekken nog een heel eind weg hoor, maak je daar maar geen zorgen over.' Maar ze keek helemaal niet naar de littekens op haar gezicht, ze staarde zichzelf aan in de kleine spiegel. 'Hoe oud ben ik?' vroeg ze.

'Eens kijken, twee weken geleden ben je dertig geworden.'

'Dertig...' herhaalde ze langzaam.

8

Op haar vrije dag is Herma naar Delft gereden. Ze was van plan om te gaan fietsen, maar toen ze weg wilde gaan werd het zo donker buiten, dat ze toch maar de eend heeft genomen. Eigenlijk is ze blij met de donkere wolken, die geven haar een goed excuus om een beetje lui te zijn. Ze laat de auto zo veel mogelijk staan, alleen als ze 's nachts naar een bevalling moet of bij slecht weer, laat ze de fiets in de schuur en kiest ze voor haar groene geit. Maar vandaag voelt ze zich zo slap en lusteloos, dat ze er al tegenop zag naar het dorp te fietsen, laat staan helemaal naar Delft. Toch wil ze naar Delft, ze wil niet dat er een bekende de winkel binnenkomt als zij haar boodschap doet. Pijnacker is niet echt een heel klein dorp, maar toch komt ze vaak genoeg mensen die ze kent tegen in de winkel. Normaal heel gezellig, maar niet nu ze een zwangerschapstest wil gaan kopen bij een drogist. De derde keer al en beide vorige keren was de test negatief geweest en kwam de menstruatie toch nog na een paar weken. Toen ze de tweede keer bij de plaatselijke drogist de test kocht, kwam er juist een vrouw bij wie ze gekraamd had, de winkel in. Ze zei niks, maar lachte veelbetekenend naar Herma en gaf haar een knipoog toen ze langs haar heen de winkel uit liep. Dat dus niet weer! Daarom rijdt ze nu naar Delft om haar boodschap te doen. Ze is gespannen, deze keer is het vast wel zo! Het voelt heel anders dan de vorige keren. Haar borsten voelen gespannen en vanochtend toen ze wakker werd, was ze een beetje misselijk. Of is dat suggestie, omdat ze het zo graag wil?

'Ga toch gewoon naar de dokter, dan weet je het ook zo,' zei Paul vanochtend voor hij wegging.

'Nee, ik wil eerst zelf een test doen.'

'Wacht je tot vanavond, dan kijken we samen, oké?'

Nu rijdt ze over de Katwijkerlaan richting Delfgauw en dan verder naar Delft. Ze parkeert haar auto aan de Oostsingel en loopt dan via de Koepoortbrug het centrum in. Het is donderdag, dus op het marktplein is de wekelijkse markt. Daar kan ze gelijk wel even overheen lopen en misschien ergens een kopje koffie drinken. Maar eerst naar een drogist! Ah, daar ziet ze de gaper hangen. Ze gaat naar binnen bij de kleine drogisterij aan de markt en even later komt ze naar buiten, het doosje in haar tas. Nu nog een kopje koffie en dan naar huis. Ze weet niet zo heel goed de weg in deze stad, ze is er pas een paar keer geweest, maar ze herinnert zich een gemoedelijk koffiehuis op de Boterbrug, waar ze onwaarschijnlijk lekkere tompouces hebben. Na wat zoeken heeft ze het gevonden en even later zit ze met haar kopje koffie en bruingeglazuurde tompouce aan een tafeltje. Ze wil net haar eerste slokje nemen, als de geur van de koffie haar neus bereikt. Ze staat snel op en kan nog net de buitendeur bereiken voor ze begint te kokhalzen. Voorbijgangers kijken om en een vrouw die aan het tafeltje naast haar zat, komt naar buiten. 'Gaat het wel goed, mevrouwtje?'

Ze knikt en haalt diep adem. 'Ja, 't is al weer over, het was even de geur van de koffie geloof ik, raar hè?'

De vrouw begint te lachen. 'O, dat had ik ook altijd als ik zwanger was, zeker je eerste?'

Verwezen kijkt Herma haar aan, ze krijgt een kleur. 'Ik heb net een test gekocht, ik weet het nog niet.' Het lijkt opeens heel logisch om het tegen deze vreemde vrouw te zeggen.

'Nou, die test kun je wel terugbrengen.' De vrouw lacht weer. 'Had je alleen koffie of nog meer besteld en had je al afgerekend? Laat die koffie maar staan en neem wat anders, kom!'

Herma laat zich zo maar mee naar binnen voeren, ze is er gewoon beduusd van. Even snel als de misselijkheid opkwam is hij ook weer verdwenen. Met smaak eet ze haar tompouce, de koffie schuift ze zo ver mogelijk weg. Dan staat ze op om weg te gaan. 'Tweede kopje koffie gratis, hoor mevrouw!' zegt het meisje achter het buffet.

'Nee, dank je!' Ze knikt naar de vrouw aan het tafeltje naast haar. 'U bedankt!'

'Succes kind, maak er wat moois van!' De vrouw glimlacht breed naar haar. Dan loopt ze weer buiten. Wat zal ze doen? Zal ze inderdaad de test terugbrengen? Kan dat eigenlijk? Ja en wat moet ze dan zeggen? Ik heb hem een uurtje geleden gekocht maar ik weet nu opeens dat ik echt zwanger ben? Dan denken ze ook dat ze gek is. Nee, ze neemt hem gewoon mee naar huis. Voor alle zekerheid. Maar ze twijfelt niet meer. Ze huppelt bijna over straat, zo blij voelt ze zich. Weet je wat, ze neemt een bloemetje mee om het te vieren, ze loopt gelijk naar de bloemenmarkt. Maar op de hoek van de gracht, waar de bloemen- en plantenkramen staan, is de Visbank en als de geur van de vis in haar neus komt, voelt ze dezelfde braakneigingen boven komen als zojuist bij de koffie. Snel maakt ze zich uit de voeten, dan maar geen bloemen. Nou zeg, dat kan wat worden, zal ze al kokhalzend negen maanden lang door het leven moeten gaan?

Maar dat valt mee. Na de eerste drie maanden, waarin ze van allerlei geurtjes opeens heel misselijk kan worden, wordt het langzaam beter. En weer een maand later heeft ze op een ochtend opeens weer trek in een kop koffie, dat heeft ze al die tijd niet gedronken. Soms was dat wel lastig tijdens haar werk, want natuurlijk moest ze dagelijks koffie zetten in de gezinnen waar ze kraamde. Verder geniet ze nog meer van haar werk dan ooit tevoren. Bij elke nieuwgeboren baby die ze in haar armen houdt, denkt ze vol verlangen aan haar eigen kindje dat in haar buik groeit. Maar ondanks het plezier in haar werk, heeft ze samen met Paul besloten dat ze in de zesde maand van haar zwangerschap stopt met werken, om zich zo in alle rust voor te bereiden op de bevalling en de baby. Het liefst was ze nog even doorgegaan en dan wat minder dagen per week, maar dat was binnen de organisatie niet mogelijk. Als ze eenmaal gestopt is, vindt ze het eigenlijk wel prima. Het bij nacht en ontij opstaan en acht of tien dagen achter elkaar werken begon haar toch steeds zwaarder te vallen naarmate haar buik groeide.

Ze volgt zwangerschapsgymnastiek en daardoor leert ze ook weer nieuwe mensen kennen. Dat vindt ze leuk, want behalve wat kennissen vanuit hun kerkelijke gemeente heeft ze verder nog steeds geen echte vriendinnen. Door hun beider drukke en onregelmatig werk bleef er nooit zoveel tijd over.

De eerste keer op de gym komt ze Tabitha tegen, een jonge vrouw die ze wel van gezicht kent omdat ze in dezelfde kerk komt. Tabitha verwacht haar tweede kindje, ze heeft al een zoontje, Wiljan, van bijna drie. Het klikt tussen hen en al snel spreken ze af om een keer koffie bij elkaar te drinken. Herma vindt het ook prettig dat ze Tabitha dingen kan vragen over de zwangerschap, tenslotte is zij al eerder zwanger geweest en weet ze er meer van dan Herma zelf. Al snel worden ze goede vriendinnen. De verloskundige is bij elke controle tevreden en Herma voelt zich ook goed. Ze is half maart uitgerekend en samen zien ze nu echt uit naar de bewuste datum.

Een paar weken ervoor komen Herma's ouders op een zaterdag, ook zij kunnen bijna niet wachten tot het eerste kleinkind geboren zal worden. Maar moeder Hanny waarschuwt wel: 'Pas op dat je je niet helemaal vastpint op die datum, het kan net zo goed een of twee weken later worden hoor, zeker bij een eerste.'

'Ik hoop het toch niet,' zucht Herma, 'ik ben het echt helemaal zat. Ik kan me in bed niet eens meer omdraaien, Paul moet me omrollen!'

Haar moeder lacht. 'Ach meid, dat ben je zo weer vergeten, hoor, nog even de laatste loodjes!' Dan wordt haar gezicht weer ernstig en ze vraagt: 'Herma, wanneer heb jij voor 't laatst contact gehad met Karin?'

'Ze belde een paar weken geleden, ze zit nog steeds in Tunesië als hostess en ze heeft het goed naar haar zin, zei ze. Het is alleen zo jammer dat ze slecht te bereiken is en zelf belt ze ook bijna nooit. Maar ja,' Herma haalt de schouders op, 'ze zal er wel geen behoefte aan hebben.' Het blijft even stil, dan vraagt Herma: 'Mam, vind je het erg als je niet vernoemd wordt?'

'Welnee, dat moeten jullie zelf weten, hoor! Trouwens, al zou ik het wel erg vinden, maakt dat enig verschil?' Plagend kijkt ze Herma aan, maar die blijft serieus en zegt: 'Niet tegen Paul of pappa zeggen hoor, dat ik het al verteld heb, maar als het een meisje is vernoemen we Karin.'

'Nou, dat is toch leuk? Mij passeer je niet hoor, trouwens, misschien krijg je nog wel zes dochters en kom ik ook nog eens aan de beurt!'

Nu lacht Herma ook. 'Voorlopig vind ik het even best zo, één tegelijk!'

Maar ze hoeft zelfs niet te wachten tot de uitgerekende datum. Vijf dagen ervoor wordt ze 's morgens vroeg wakker door een heftige kramp in haar buik. Slaapdronken staat ze op en loopt naar het toilet. Maar voor ze de deur open heeft gedaan, is de kramp verdwenen. Half slapend gaat ze toch zitten, nee ze hoeft helemaal niet. Maar ze is net weer in bed gaan liggen, als de pijn weer opkomt en opeens is ze klaarwakker. Ze hoeft niet naar de wc, ze heeft weeën! Ze gaat rechtop zitten en schudt aan Pauls arm. 'Hé, word eens wakker, het is begonnen!'

Nu is Paul ook gelijk wakker en staat al naast het bed. 'Wat moet ik doen, de verloskundige bellen?'

'Nee joh, wacht maar even, eerst kijken om de hoeveel tijd ze komen. De eerste duurt meestal wel een poosje, dat heb ik in de praktijk al zo vaak meegemaakt.'

Maar dat valt mee, 's middags om vijf uur heeft ze haar kleine Karen in de armen, een gezond meisje van ruim zeven pond, met de donkerblonde haartjes van haar moeder.

Nog diezelfde avond komen Herma's ouders even om een hoekje kijken. De volgende dag is het zaterdag, dan staan Pauls ouders met de andere kinderen al vroeg op de stoep en ook Jasper komt 's middags kijken naar z'n nichtje.

Het is een aparte ervaring voor Herma om nu aan de andere kant te staan, of beter gezegd: te liggen. Een collega-kraamverzorgster zorgt voor haar en haar kleine Karen in plaats van dat zijzelf de verzorgende is. Gelukkig heeft ze een collega waarmee ze goed kan opschieten en die haar gewoon uitlacht als ze zich wil bemoeien met bepaalde dingen. 'Jij bent nu de kraamvrouw en ik de baas in huis deze acht dagen!'

Dan geeft Herma zich maar over, het is toch wel heerlijk helemaal niets te hoeven doen. Ze geniet van deze dagen, maar de tweede avond als Paul beneden koffie heeft gehaald, vindt hij haar in tranen in haar bed, Karen dicht tegen zich aan.

'Wat is er, gaat het niet goed met haar?' Verschrikt zet hij de koffie neer en buigt zich over zijn vrouw en dochter.

'Jawel, maar ik...' ze kan bijna niet praten van het huilen, 'ik mis Karin zo, ik hoopte zo dat ze snel zou komen.'

'Joh, ze kan daar toch niet zomaar weg? Ze heeft haar werk daar. Maar ik begrijp het wel, je wilt nu juist je tweelingzus bij je hebben. Maar je zult zien, ze komt vast wel zo snel ze kan. Door de telefoon klonk ze apetrots en verrast omdat ze vernoemd was.'

'Ja, dat weet ik ook wel, ze komt vast zo snel mogelijk. Ik weet ook niet waarom ik opeens zo moest huilen, ik ben juist hartstikke gelukkig.'

'Dat zijn nou kraamvrouwentranen,' zegt Tabitha de volgende middag als ze op bezoek komt en Herma alweer begint te huilen als ze vertelt dat haar zus nog niet geweest is. 'Was ik maar alvast zover als jij!' Tabitha wrijft over haar dikke buik. 'Van mij mag hij komen, hoor, ik ben het echt zat!'

Twee dagen later staat dan toch opeens Karin voor de deur. Paul laat haar binnen en ze rent de trap op, langs de verbouwereerde kraamverzorgster heen, zo de slaapkamer binnen waar Herma half rechtop in bed Karen borstvoeding geeft. Vlak voor het bed blijft ze staan en voor ze hartelijk haar armen uitstrekt naar haar zusje, ziet Herma even een bittere trek op haar gezicht. Of verbeeldt ze zich dat maar? Er is in elk geval niets van te merken als Karin zich over het bed buigt en Herma op beide wangen kust. 'Gefeliciteerd, zus!' Dan kust ze heel zacht en voorzichtig het drinkende kindje op het hoofdje. 'Hallo kleine Karen, ik ben je tante!'

Herma voelt alweer tranen omhoog komen. Hè, ze is echt een oude jankerd aan het worden. Maar ze is ontzettend blij dat haar zus er is.

Karin heeft een grote pluche kameel uit haar tas gehaald. 'Alsjeblieft, alvast een stukje Tunesië. Ik ga natuurlijk nog een mooie jurk voor mijn naamgenoot kopen, maar daar heb ik nog geen tijd voor gehad. Ik ben vanochtend pas geland en ik vlieg overmorgen weer terug.'

'Je blijft toch wel slapen?' vraagt Herma.

'Dat was ik niet van plan. Ik moet nodig eens even naar m'n etage in Amsterdam, daar ben ik zo lang niet geweest. En ik wil daar ook nog even met wat mensen afspreken. Nee, ik ga straks weer verder.'

'Jammer,' vindt Herma, 'maar ik ben echt blij dat je er bent.' Ze tilt het inmiddels slapende kindje wat omhoog. 'Hier, wil je haar vasthouden?'

Zwijgend neemt Karin de baby over, een beetje onwennig gaat ze ermee op de rand van het bed zitten. Ze strijkt over de kleine vingertjes. 'Lief hoor! Dat jij nu toch moeder bent, gewoon niet voor te stellen!'

'Nog steeds de prins op het witte paard niet voorbij zien komen?' vraagt Herma half serieus, half lachend.

'Nee, maar ik vind het ook nog wel best zo hoor, leve de vrijheid.' Karin kijkt Herma niet aan terwijl ze dat luchtig zegt.

's Avonds, als Karin allang weer vertrokken is, vraagt Herma zich hardop af: 'Zou ze nou echt zo gelukkig zijn alleen, of is dat maar een houding van haar?'

Paul kijkt haar aan. 'Ik weet het niet, maar je doet of ze al op leeftijd is en de meeste mannen inmiddels bezet zijn. Jullie zijn nota bene pas vierentwintig, niet iedereen is er zo vroeg bij als jij!' Hij laat zijn hand liefkozend door haar lange haren glijden terwijl hij verder gaat: 'En misschien moet ze haar rode punk-kapsel weer verwisselen voor de lange donkerblonde haren die jij nog hebt en zij heeft weggedaan. Ik denk dat mannen daar eerder op afkomen.'

'Tja, smaken verschillen, er zijn misschien zat mannen die meer van kort en rood houden, ik vind het haar niet slecht staan.'

Paul haalt z'n schouders op. 'Ach ja, misschien wil ze echt nog helemaal geen relatie. Als het zover is horen we het vanzelf wel.'

Precies een week na de geboorte van Karen komt er een telefoontje van Gertjan, de man van Tabitha. Zij hebben een tweede zoon gekregen, die ze Sander noemen. 'Leuk,' zegt Herma, 'ik verheug me er al op dat die twee samen gaan spelen.'

Hoewel dat nu nog ver weg lijkt, gaat het toch snel. Tabitha en Herma hebben algauw een vaste ochtend in de week dat ze samen koffiedrinken. Op dinsdag, als Tabitha haar oudste naar de speelzaal heeft gebracht, gaat ze altijd gelijk door naar het huis van Herma en Paul. Liggen de twee kleintjes in het begin rustig te slapen in hun wagen of bedje, wat later liggen ze al samen in de box of kruipen ze over de grond. Ook Paul en Gertjan blijken goed met elkaar te kunnen opschieten. Op zondag spreken ze nogal eens af om na kerktijd samen koffie te drinken. Herma gaat meedraaien bij de crèche van de kerk op zondagochtend, waardoor ze nog meer vertrouwd raakt met de mensen uit hun gemeente. Karen is een voorbeeldige baby, die groeit volgens het boekje en weinig huilt. Herma voelt zich volkomen tevreden en gelukkig met haar leven.

Zo breekt de eerste verjaardag van hun dochter aan. Herma heeft zelf een taart gebakken en Paul maakt foto's als de kleine Karen met haar vingers in de slagroom prikt.

'Nu vinden we het prachtig en over een paar jaar zeggen we: Doe niet zo vies!' zegt Herma, terwijl ze de vingertjes afveegt.

Karen zet het op een huilen, ze is het helemaal niet eens met haar moeder, die de taart een stukje verder op tafel schuift.

Het is zaterdag, dus de hele familie kan komen. Ook vader Kees heeft z'n vrije weekend en kan erbij zijn. Oma uit Amsterdam had er ook graag bij willen zijn, maar haar gezondheid gaat de laatste tijd hard achteruit, ze kan de drukte niet meer aan. 'We zullen gauw eens naar Amsterdam rijden,' zegt Paul, 'dan kan ze haar achterkleinkind ook weer eens zien.'

'Komt Karin ook?' vraagt Jasper, als ze aan de koffie zitten.

Herma haalt de schouders op. 'Ik zie en hoor haar zo weinig, ik heb nu ook niks gehoord. We wachten het maar af.' Ze blijft het moeilijk vinden dat het contact tussen hen beiden steeds minder en moeizamer lijkt te worden.

Even later komt de postbode; er is een mooie kaart van 'tante Karin' bij de stapel kaarten. Ze schrijft dat ze verhinderd is, maar gauw een andere keer komt.

's Middags komen er wat vrienden met ook wat klein grut feliciteren, waaronder natuurlijk Gertjan en Tabitha met hun twee kinderen. Karen zelf is doodmoe van al die extra drukte. Ze is huilerig en valt ten slotte bij haar oma op schoot in slaap.

Twee weken later komt het bericht dat oma in Amsterdam in haar slaap is overleden.

'Waren we nu nog maar gauw een keer gegaan, we zeiden het nog toen Karen jarig was,' zegt Herma verdrietig.

'Tja, dat heb je zo vaak dat je denkt: had ik maar of was ik maar. En zo erg lang was het niet geleden dat we bij haar geweest zijn, een week of vier voor Karens verjaardag denk ik.'

'Zou Karin wel op tijd voor de begrafenis hier zijn?' vraagt Herma zich dan af.

'Natuurlijk, voor een begrafenis krijg je altijd vrij, ze zit tegenwoordig toch in Griekenland? Zo ver is het niet hoor, een uurtje of vier vliegen.' En inderdaad, de volgende dag is Karin al in Nederland en ze kan tot ruim na de begrafenis blijven. Maar ook deze keer komt ze maar een avondje bij Paul en Herma. Verder heeft ze het te druk, zegt ze.

Later op die avond als Paul, die dienst heeft, is weggeroepen naar een zieke koe, vraagt Herma: 'Kaar, wat is er toch gebeurd met ons? Als er iets is, als ik iets verkeerd heb gedaan, zeg het dan! Want ik heb het gevoel dat je zo kort mogelijk en zo min mogelijk contact met ons wilt hebben, klopt dat?'

Het blijft even stil, dan zegt Karin rustig: 'Ja, je hebt misschien wel gelijk. Maar ik ben niet degene die veranderd is, dat ben jij! Hoe vaak heb ik je in het verleden niet gevraagd om samen eens weg te gaan, bijvoorbeeld onze verjaardag te vieren door een paar dagen samen iets leuks te gaan doen. En nooit had jij tijd of zin, altijd was er wel iets. Paul kwam altijd op de eerste plaats, of je huis, of je baan of weet ik wat. Op zaterdag geen tijd, op zondag naar de kerk, je had altijd wel een smoes. Dus lieve zus, dat wij uit elkaar zijn gegroeid ligt niet zozeer aan mij, maar vooral aan jou. En op een gegeven moment dacht ik: graag of niet, dan kies ik ook voor m'n eigen leven. Even goede vrienden, hoor! Maar dan moet je mij niet verwijten dat je mij nooit ziet.'

Terwijl Karin praat, kijkt Herma haar eerst met grote ogen aan, dan begint ze te huilen. Ten slotte zegt ze: 'O Karin, ik weet niet wat ik zeggen moet. Het spijt me zo als jij het gevoel gekregen hebt dat je niet belangrijk voor me zou zijn. Want dat is echt niet waar! Na Paul en Karen ben je de belangrijkste persoon op de wereld voor me.'

Karin kijkt haar schijnbaar onbewogen aan en zegt: 'Huil toch niet altijd zo gauw, Herma! Het is goed dat het nu eens is uitgesproken. En wat mij betreft: laten we dan later dit jaar weer eens wat leuks gaan doen samen. Het is nu eind maart, voor mij komt er een drukke periode aan in mijn werk. Maar half oktober is het seizoen weer voorbij, laten we dan een paar dagen weggaan, goed?' En wat spottend laat ze erop volgen: 'Dan heb je een halfjaar om je geestelijk voor te bereiden.'

Ze staat op. 'Ik ga er weer eens vandoor, ik zie je morgen bij de begrafenis van oma.' Bij de deur slaat ze haar armen om haar zus heen en zegt weer wat hartelijker: 'Kom op, zus, we blijven tenslotte toch tweelingzussen, door dik en dun. Op naar oktober! En de groeten aan je man.' Dan loopt ze naar haar autootje, dat aan de weg geparkeerd staat. Ze kijkt niet meer om.

De rest van het voorjaar en ook die zomer ziet Herma Karin weinig. Toch komt er wat vaker dan voorheen een telefoontje vanuit Griekenland. Als Paul en Herma met Karen een weekendje in Drenthe logeren spreekt Herma er met haar moeder over. 'Horen of zien jullie Karin regelmatig?' vraagt ze.

'Weinig,' antwoordt haar moeder, 'maar ja, ze is natuurlijk ook veel in het buitenland. En als ze eens een paar dagen in Nederland is, zit ze veel in Amsterdam. Ja joh, ze heeft nou eenmaal een heel ander leven dan jij.'

Herma knikt. 'Ja, maar toch vind ik het jammer, zo veel als we vroeger met elkaar optrokken, zo weinig contact hebben we de laatste jaren.'

'Maar in het najaar gaan jullie weer eens samen op stap? Dat vertelde Karin toen ze de laatste keer hier was, ze verheugde zich er echt op zei ze.'

Herma kijkt haar moeder verrast aan. 'Zei ze dat? Ja, het gaat er eindelijk weer eens van komen, hoewel ik het lastig blijf vinden om Paul en vooral Karen achter te laten.'

Haar moeder lacht. 'Kom op, zeg! Over hoeveel nachtjes heb je het, één of hooguit twee! Daar kom je wel doorheen, hoor, zonder man en kind.' Dan gaat ze serieus verder: 'Je moet niet zo krampachtig aan je gezinnetje hangen, hoor Herma. Ik denk dat het ook heel belangrijk is om er eens op uit te gaan en ook om tijd en aandacht uit te trekken voor anderen, zoals voor je zus. En ook breder: doe je iets aan sport of iets dergelijks in Pijnacker?'

'Ik heb heus wel aandacht voor andere mensen, hoor,' verdedigt Herma zich, 'alleen kun je niet zo veel doen met een peuter om je heen. Maar ik draai mee bij de oppasdienst van de kerk en ik ga samen met Tabitha één keer per week naar peuterzwemmen met Karen en Sander. En verder is het gewoon lastig dat Paul toch wel regelmatig 's avonds moet werken, daardoor kun je moeilijk lid worden van een vereniging of zo.'

'Als je dat echt wilt, kan het natuurlijk altijd. Je bent jong getrouwd, jong moeder geworden en dat is natuurlijk leuk. Maar pas op, dat je niet gaat leven alsof je al bejaard bent. Ga een cursus volgen, leer nieuwe dingen, wat je maar leuk vindt, maar doe iets!'

'Misschien wil ik helemaal niks anders dan dit mam, niet iedereen zit hetzelfde in elkaar. Ik vind het prima zo.'

Haar moeder haalt de schouders op en gaat over op een ander

onderwerp, maar de sfeer wordt niet meer zoals hij eerder was. Later thuis loopt Herma toch nog over het bewuste gesprek na te denken. Heeft mam toch misschien een beetje gelijk, zit ze te veel in haar kleine wereldje? Moet ze toch eens gaan rondkijken naar een leuke schriftelijke cursus, een nieuwe sport? In elk geval kan ze een brochure aanvragen om te zien wat er allemaal voor schriftelijke opleidingen zijn. Als de postbode begin september een dikke folder op de mat gooit, gaat Herma er eens goed voor zitten. Wacht, ze zet eerst even koffie; Karen haar bekertje roosvicee en zijzelf een koekje. Ze gaat met de beker koffie en de folder in haar hand op de bank zitten. Ze heeft juist de eerste pagina omgeslagen, als de geur van de koffie haar neus binnenkomt. Ze springt op voor de verbaasde ogen van Karen en rent naar het toilet. Ze leunt tegen de deurpost, gelukkig, het zakt alweer. Terug in de kamer pakt ze de beker, loopt naar de keuken en giet met afgewend hoofd de koffie door de gootsteen. De prospectus ligt vergeten op de bank, ze heeft voorlopig belangrijker dingen aan haar hoofd! Ze tilt Karen van de grond, hoog boven haar hoofd en zegt: 'Tegen niemand zeggen, hoor, je krijgt een broertje of een zusje, ons geheimpje!'

Karen snapt er natuurlijk niks van, maar ze schatert zo hoog in de lucht en roept: 'Geimpje!'

Daar zijn ze weer, de twee kinderen. Het zijn leuke kinderen. Ze heeft ze al vaker gezien, ze heten Karen en Job. De man, Paul, praat vaak over hen en noemt steeds hun namen. Wie zijn ze ook alweer? O ja, haar kinderen! Ze krijgt het weer benauwd: haar kinderen? Daar moet ze toch iets bij voelen? Maar ze voelt niets, helemaal niets! De twee kijken naar haar, het meisje heeft een kleurplaat bij zich, aarzelend komt ze naar het bed en steekt haar hand uit. 'Voor jou, mamma.'

Ze pakt de kleurplaat aan. 'Prachtig, dankjewel.' Maar ze voelt er niks bij. Het jongetje kruipt weg achter zijn vader, ze probeert naar hem te glimlachen als ze even zijn blik vangt. Maar hij kijkt boos terug. 'Job?' probeert ze. Maar hij geeft geen antwoord en verdwijnt nu helemaal achter z'n vaders rug. Ze is blij als ze wat later weer weggaan, ze is moe.

9

Deze zwangerschap verloopt aan het begin heel wat minder gemakkelijk dan de eerste. Herma is misselijk van 's morgens vroeg tot ze weer naar bed gaat. Ze kan bijna geen eten binnenhouden, ze voelt zich slap en moe. Een paar weken later is Pauls verjaardag, een mooie gelegenheid om het goede nieuws te vertellen als de hele familie er is, vinden ze. Als eersten arriveren Herma's ouders en al direct, nog voor Pauls ouders er zijn, valt ze door de mand. Hoewel Paul op zich heeft genomen om de koffie in te schenken en onopvallend voor Herma een kopje thee neerzet, kijkt vader Kees haar al na een paar minuten opmerkzaam aan. 'Alles goed, meisje?'

'Ja hoor, beetje grieperig.'

'Weet je het zeker?' Hij lacht als ze een kleur krijgt. 'Tja, soms is het lastig als je vader arts is, hè? Wanneer ben je uitgerekend?' Nu lacht ook Paul voluit. 'En ik maar stiekem kopjes thee voor je neerzetten.' Hij wendt zich tot z'n schoonouders: 'We wilden het eigenlijk vertellen als straks mijn ouders en de anderen er ook zijn, maar jullie hebben de primeur dus alvast. Volgend jaar april komt, als alles goed gaat, jullie tweede kleinkind.' Hij kijkt naar Herma: 'Nou joh, straks even niet kotsen als mijn ouders binnenkomen, dan mag jij het aan hen vertellen, oké?'

'Is het zo erg, ik bedoel die misselijkheid?' vraagt Herma's vader. 'Daar kun je wel iets voor krijgen, hoor, ben je al bij je huisarts geweest? Je ziet er echt mager en bleekjes uit.'

'Mmm, het zal binnenkort wel beter worden, de eerste paar maanden zijn meestal het ergst, toch?' Dan springt ze op en zegt verrast: 'Hé, kijk daar nou? Volgens mij is dat Karins auto, wat leuk! Ik wist niet dat ze in het land was.'

Als Karin binnen is, komen ook Pauls ouders en broertjes en zusje eraan. Al snel zit iedereen aan de koffie of thee met taart en wordt er druk gepraat.

Karin gaat naast Herma zitten. 'Kijk,' zegt ze, 'ik heb wat reisgidsen meegenomen, misschien kunnen we deze keer een weekendje Parijs of Brussel doen. Ik vlieg morgen terug naar Kreta, maar over vier weken ben ik klaar, dus we zouden eind oktober kunnen gaan. Dan hebben we ook nog kans op aardig weer, lijkt je dat wat?' Als Herma niet direct antwoord geeft, gaat ze verder: 'Nou, kijk er maar eens rustig naar, jij mag kiezen. We bellen binnenkort wel even wat het wordt.' Ze neemt een hapje van haar gebakje. 'Mmm, lekkere taart, zelfgebakken?' Voor Herma antwoord kan geven, hoort ze met een half oor aan de andere kant van zich Pauls moeder vragen: 'Paul, is Herma wel in orde, ze ziet zo smalletjes?' Waarop Paul met enige stemverheffing zegt: 'Eh, mensen, we willen jullie wat vertellen voordat jullie het zelf allemaal al door hebben. Herma?'

Iedereen kijkt nu naar haar, Karin ook. Daardoor voelt ze zich een beetje ongemakkelijk, met de reisfolder in haar hand zegt ze: 'We hebben groot nieuws, we…'

'…gaan een wereldreis maken!' roept Ruud, het jongste broertje van Paul, terwijl hij naar de folder in Herma's hand wijst.

'Hè? Nee, als alles goed gaat krijgt Karen in april een broertje of zusje.' Iedereen feliciteert hen, Karin ook, maar ze zegt er gelijk achteraan: 'Dit is toch geen reden om ons uitje uit te stellen, neem ik aan?'

Herma haalt de schouders op. 'Zoals ik me nu voel is het niks, ik ben bijna voortdurend misselijk. Maar ik hoop dat het over een paar weken over is.'

Maar dat is niet zo, bijna de hele zwangerschap blijft ze zich beroerd voelen. Zelfs de verzorging van Karen valt haar soms zwaar. Gelukkig haalt Tabitha de kleine meid vaak op, zodat Herma het rustig aan kan doen. Karen voelt zich bij Tabitha en Gertjan helemaal thuis. 'Je bent een vriendin uit duizenden!' zegt Herma uit de grond van haar hart, als Tabitha voor de zoveelste keer Karen 's morgens al vroeg komt halen en zijzelf, te beroerd om zich aan te kleden, op de bank hangt.

Half oktober belt Karin op. Als Herma de telefoon opneemt, zegt Karin: 'Hoi, met mij. En, weet je al wat het worden gaat?'

'Worden gaat?'

'Parijs of Brussel?'

'Karin, ik ben te beroerd om op mijn benen te staan, dat gaat nu echt niet lukken, hoor. We moeten het maar weer een jaartje uitstellen. Het spijt me.'

'Ja, spijt het je echt?' Karins stem klinkt vlak.

'Ja natuurlijk vind ik het jammer. Je zou trouwens ook weleens kunnen vragen hoe het met me gaat, in plaats van alleen maar direct over ons reisje te beginnen.'

'Ja, nou dat weet ik inmiddels, beroerd dus.' Haar stem klinkt nu weer wat vriendelijker. 'Sorry, je hebt gelijk, dat was niet aardig. Maar ik vind het echt jammer dat we nu weer niet weggaan, ik had me er echt op verheugd. Maar het is niet anders. Ik kom gauw weer eens langs, oké?'

'Graag. En Karin...'

'Ja?'

'Ik vind het ook echt jammer, anders waren we beslist gegaan.'
'Nou, volgend jaar beter dan maar. Houd je goed! Doeg!'

Herma is blij als 4 april de kleine Job geboren wordt. Zelfs tijdens de bevalling moet ze nog overgeven, maar de dag erna voelt ze zich al beter dan negen maanden het geval is geweest.

'Kleine boef, je hebt je moeder wel wat aangedaan!' Ze knuffelt het kleine kereltje als hij in haar armen wordt gelegd.

Zo moeizaam als de zwangerschap ging, zo voorspoedig gaat het eerste halfjaar van Jobs leventje. Evenals eerder zijn zusje slaapt, drinkt en groeit hij volgens het boekje. Ook Karen reageert goed op het nieuwe broertje, ze wil hem almaar kusjes geven, Herma moet oppassen dat hij niet helemaal platgeknuffeld wordt door zijn grote zus.

Eind van de zomer vindt Herma opeens de folder met de schriftelijke cursussen weer onder in de krantenbak. Ze schiet in de lach als ze terugdenkt aan de eerste en tegelijk de laatste keer dat ze erin bladerde. Deze keer kan ze erin kijken zonder misselijk te worden van de koffie. Toch wel leuk misschien, om een opleiding te gaan volgen. De kinderen liggen allebei 's avonds op tijd op bed, ze heeft dus lange avonden de tijd om te leren. Paul is dikwijls weg, hij zit in het jeugdwerk van de kerk en heeft natuurlijk ook nog z'n weekend- en avonddiensten. Misschien is dit het moment om zelf iets nieuws te beginnen. Ze bladert door de gids. Pedagogiek, zou dat wat zijn? Gelijk handig voor haar eigen kindertjes en het lijkt haar echt interessant. Ze kan allicht eens een proefles aanvragen.

De proefles spreekt haar aan en begin oktober start ze met de cursus. Ook wordt ze samen met Tabitha lid van een zwemvereniging en al snel wordt ze gevraagd voor de ouderraad van de peuterspeelzaal waar Karen sinds september twee keer per week naartoe gaat. Opeens is haar leven vol en druk, maar ze merkt dat ze het leuk vindt om meer te doen te hebben. Het is fijn dat de cursus pedagogiek een schriftelijke opleiding is, ze kan haar eigen tempo bepalen.

Via de speelzaal leert ze weer mensen kennen en zo raken ze echt ingeburgerd in Pijnacker. Ook Paul heeft het in z'n werk goed naar zijn zin en het jeugdwerk van de kerk heeft echt zijn hart. Hij leidt op vrijdagavond de club voor jongeren van twaalf tot zestien jaar. Als Linda, degene met wie hij samen deze avonden verzorgt, naar Zoetermeer gaat verhuizen en er eigenlijk mee wil stoppen, vraagt Paul aan Herma: 'Niks voor jou? We kunnen het gemakkelijk samen thuis voorbereiden wanneer het ons uitkomt en als ik onverwacht moet werken, hoef ik niks over te dragen, dan doe jij het gewoon een keertje alleen.'

'Nou dat weet ik niet, hoor,' zegt Herma weifelend, 'ik weet echt niet of ik dat kan. Toen ik zelf die leeftijd had, wist ik nauwelijks wat van het geloof, dus ik heb geen idee hoe die jongeren denken. En om het alleen te doen, zie ik al helemaal niet zitten. Als het nu om kleine kinderen ging was het misschien anders.'

'Probeer het maar!' zegt Paul. 'Ik denk dat het goed is, je leert daar zelf ook van. Die jongeren zijn vaak zo eerlijk en recht voor z'n raap. En we gaan ervan uit dat we het samen doen. Als ik moet werken, wil Linda vast nog weleens bijspringen, zo ver is Zoetermeer hier niet vandaan.'

'En de kinderen, waar halen we elke keer oppas vandaan?'

'Er zijn genoeg meisjes die hier een paar uurtjes willen zitten en nog wat verdienen ook. Van de groep die nu net te oud is voor onze club, weet ik er zo al een paar waaraan ik het zou kunnen vragen, nee, dat komt wel goed.'

Herma vindt het de eerste keer heel spannend, maar ze merkt al snel dat Paul gelijk had: de jongeren hebben een open manier van met elkaar omgaan en zolang je zelf eerlijk naar hen bent, accepteren ze je gelijk helemaal. Als haar vragen gesteld worden waarop ze geen antwoord weet, zegt ze dat gewoon en niemand kijkt haar vreemd aan. Ze merkt dat ze zelf ook weer nieuwe dingen leert tijdens de korte bijbelstudies aan het begin van de avond. En tijdens het tweede gedeelte, waarin spelletjes of een quiz worden gedaan, gaat het er gezellig aan toe. En ook deze jongeren zingen weer graag bij de gitaar van Paul.

'Ik wou dat ik gitaar kon spelen,' zucht Herma op een avond, 'daarmee krijg je ze echt helemaal mee. Zonder die gitaar kun je het zingen wel vergeten.' Deze avond moest Paul werken en voor het eerst heeft ze samen met Linda de avond geleid. Maar toen ze voorstelde om aan het begin wat te zingen, kreeg ze het niet voor elkaar. Een paar meisjes vielen in toen Linda een lied inzette, maar de rest bromde wat of hield de mond stijf dicht. Ze hebben het maar snel opgegeven. 'Als jij begint te spelen, gaan ze vanzelf meezingen, nou, zonder gitaar dus echt niet! Het was echt een afgang voor Linda en mij.'

Paul lacht haar uit. 'Nou, dat is wel een groot woord. Maar inderdaad, het werkt het best als je zomaar een beetje gaat zitten spelen en zingen, dan doen ze zo mee. Maar als je zegt: 'Nu gaan we zingen', vergeet het dan maar. Dus: ga op gitaarles!'

'Misschien doe ik dat wel, ik vind het echt leuk.'

Een paar dagen later geeft Paul haar een briefje met een telefoonnummer: 'Alsjeblieft, hier is het adres van een gitaarlerares. Als je nog steeds wilt, tenminste?'

'Ja, ik denk dat ik morgen gelijk ga bellen, hoe kom je aan haar naam?'

'Tja... connecties hè, als dierenarts kom je nog eens ergens. En niet alleen bij boeren met koeien, maar ook bij muziekleraressen met hondjes.'

Eind november, een week voor haar verjaardag, staat op een middag opeens Karin voor de deur. 'Hé, wat leuk! Kom er gauw in!' Herma trekt haar zus naar binnen en slaat haar armen om haar heen. 'We hebben elkaar veel te lang niet gezien! Doe je jas uit, Karen is naar de speelzaal en Job slaapt, dus we hebben heerlijk even rust. Alles goed met jou?' Onderzoekend kijkt ze haar tweelingzus aan.

'Met mij wel, maar met jou volgens mij niet, straatvrees of zo?'

'Wat? Hoe kom je daar nou bij?'

'Je durft blijkbaar niet meer naar Amsterdam te komen. Weet je wel wanneer je voor het laatst geweest bent? Meer dan een halfjaar geleden. En ik ben al een paar maanden in Nederland, hoor.'

Herma gaat op een puntje van de bank zitten en kijkt Karin verbaasd aan. 'Meen je dat nou? Ja, dat is wel lang geleden. Maar sinds ik de lelijke eend niet meer heb, ben ik helemaal afhankelijk van Paul, ik bedoel van zijn auto. Als hij moet werken, heb ik geen auto en met twee kleintjes ga je niet zo gemakkelijk met openbaar vervoer naar Amsterdam.'

'Dat snap ik ook wel, maar Paul werkt toch niet altijd? Trouwens, hij mag wel meekomen hoor! Nou ja,' gaat ze verder, 'lekker belangrijk! Ik wil het ergens anders over hebben en ik vraag het echt voor de laatste keer: Gaan we nog een keer samen weg dit jaar?'

'Prima, leuk!' zegt Herma gelijk. Ze voelt zich echt schuldig dat ze haar zus de laatste tijd zo verwaarloosd heeft. 'Laten we gelijk maar wat afspreken, ik pak even Pauls agenda erbij, want hij moet natuurlijk wel vrij zijn.'

Ze spreken af om half december een lang weekend naar Brussel te gaan. 'Leuk, dan is er kerstmarkt, dat maakt zo'n stad extra gezellig,' zegt Karin. 'Ik zal een hotel regelen, goed?'

'Ja, maar wacht daar nog even mee, ik wil het natuurlijk nog wel even met Paul bespreken. Maar reken er maar op dat het door kan gaan, ik bel je deze week nog, goed?'

Karin knikt. 'Goed, ik heb trouwens nog een nieuwtje, maar misschien weet jij het ook al? Onze grote broer heeft een vriendin en deze keer lijkt het echt serieus.'

'O, wat leuk, die Jasper! Nee, ik wist het nog niet, van wie hoorde je dat en heb je haar al gezien?'

'Tja, dat is het voordeel van in dezelfde stad te wonen, hè. Ik kwam ze toevallig samen tegen de afgelopen week en later belde Jasper me. Hij brengt haar als verrassing mee naar jouw verjaardag volgende week. Doe maar net of je niks weet.'

'Ja, lekker ben jij! Dat kan ik toch niet! Nou ja, we zien wel. Maar vertel eens: leuke meid?'

'Ja, zo de eerste indruk wel, nou ja, dat zie je zelf wel. Ik kom niet op onze verjaardag bij jou, ik wil het dit jaar weer eens zelf in Amsterdam vieren.'

'Dat begrijp ik, toch niet altijd leuk om een tweeling te zijn, hè, zeker met verjaardagen niet.'

Dan staat Herma op, terwijl ze zegt: 'Joh, ik hoor Job. Ik ga hem er gauw uithalen want dan is het alweer tijd om Karen te halen. Je blijft toch wel tot vanavond?'

Karin staat ook op. 'Nee, ik ga even met je mee naar de speelzaal om m'n kleine naamgenoot te zien, maar dan ga ik gelijk weer door. Ik heb een eetafspraak in Amsterdam.'

Herma kijkt haar zus aan, het hoofd een beetje scheef vraagt ze lachend: 'Komt die afspraak toevallig op een wit paard?'

'O nee, haal je maar niks in je hoofd. Voorlopig bevalt het me nog best zo.'

Als Herma het plannetje voor Brussel 's avonds met Paul bespreekt, fronst hij z'n wenkbrauwen. 'Dat wordt lastig. Ik moet dat weekend extra werken, het is helemaal een drukke maand, die decembermaand. Johan is al een tijd ziek en Henk gaat drie weken op vakantie naar Zuid-Afrika met zijn hele gezin, omdat hij en zijn vrouw 25 jaar getrouwd zijn. Kunnen jullie het niet doorschuiven naar januari?'

'Nee, dat lijkt me geen goed plan. Karin is al zo geïrriteerd dat het de vorige jaren steeds niet door kon gaan. Ik vraag wel of mijn ouders hier in huis willen komen en als pappa toevallig ook dat weekend dienst heeft, kan mam wel alleen komen, denk ik. Vind je dat een goed idee?'

'Ik vind het best. Het is leuk dat jullie nu eindelijk weer eens samen weggaan.'

Als haar ouders die volgende week op Herma's verjaardag zijn, stelt Herma het plan direct voor. 'Als je het te druk vindt of niet ziet zitten, moet je het eerlijk zeggen hoor!'

Haar moeder lacht haar uit: 'Wat denk je nou? Zo bejaard ben ik nog niet, hoor! Het is inderdaad pappa's werkweekend, maar ik kom gewoon alleen. Ik vind het heerlijk eens voor die twee te zorgen. Trouwens, Paul is ook geen vierentwintig uur per dag aan het werk, dus dat komt wel goed. Ga jij maar eens lekker met je zus op stap, dat is goed voor jullie allebei, denk ik.' Dan draait ze zich naar Paul en vraagt lachend: 'Of vind jij het erg om een paar dagen met je schoonmoeder opgescheept te zitten?'

'Integendeel!' antwoordt Paul. Dan wordt er gebeld en even later stapt Jasper binnen met Marleen, z'n nieuwe vriendin. Herma probeert verrast te doen, maar Jasper heeft haar meteen door. Meesmuilend kijkt hij haar aan en zegt: 'Ja ja, net echt! Je hebt je tweelingzus zeker al gesproken!'En zich tot Marleen wendend gaat hij verder: 'Tweelingen? Altijd twee handen op één buik!'

Nou, denkt Herma, dat valt bij ons tegenwoordig wel mee. Of liever gezegd: wel tegen! Ja, het is goed samen eens weg te gaan en alle tijd te hebben om bij te praten. Want ze lijken steeds verder uit elkaar te groeien.

Een paar dagen voor het uitstapje wordt Karen ziek. Eerst lijkt het een onschuldig griepje, ze heeft verhoging en hoest erg, maar de volgende dagen loopt de koorts hoog op. De huisarts komt donderdags kijken, onderzoekt de kleine meid en haalt dan de schouders op. 'Het kan gewoon een griep zijn, kleine kinderen hebben gauw hoge koorts. Maar houd haar goed in de gaten, ik hoor toch een licht ruisje als ik haar longetjes beluister. Als u het niet helemaal vertrouwt of als de koorts nog hoger wordt, bel me dan weer op. Ik geef haar antibiotica en dan moet de koorts echt met een paar dagen flink gezakt zijn.' Hij aait Karen even over het hoofdje en gaat dan weg.

Het is de dag voor het geplande vertrek. 'Ik ga eerst Karin en mamma afbellen,' zegt Herma. De avond tevoren hebben de zussen al telefonisch contact gehad en Herma heeft toen met Karin afgesproken, dat ze deze afgelopen nacht nog wilde afwachten en dan eventueel de dokter zou bellen. Nu is het voor haar echt duidelijk: geen haar op haar hoofd die erover denkt om weg te gaan. Ze verwacht ook niet anders dan dat Karin daar alle begrip voor zal hebben. Maar dat valt tegen. 'Mamma kan toch ook prima voor haar zorgen?' zegt Karin. 'Of laten we anders wachten tot morgen, als ze dan wat opgeknapt is, kunnen we alsnog gaan of eventueel een dagje later, dus van zaterdag tot maandag.'

'Ik denk er niet over!' zegt Herma beslist. 'Al zou morgen de koorts helemaal weg zijn, ik ga zo echt niet weg. Het is zo'n zielig hoopje mens, je zou haar eens moeten zien.'

Het blijft even stil aan de andere kant van de lijn. 'Ik bel je morgen nog wel even,' zegt Karin dan, voor ze de verbinding verbreekt.

De volgende dag is de koorts een stuk gezakt, maar het staat voor Herma als een paal boven water dat ze niet weggaat. En ze neemt het Karin kwalijk, dat die daar geen begrip voor lijkt te hebben. Hun telefoongesprek die ochtend is ook maar kort. 'Graag of niet dan!' zegt Karin als Herma zegt dat ze niet weg kan. 'Maar het is nu echt de laatste keer dat ik met een voorstel ben gekomen. Voortaan is de beurt aan jou.'

Met een gevoel van teleurstelling legt Herma de telefoon neer. Ja, Karin en zij groeien steeds meer uit elkaar, wat jammer. Maar dan gaat ze gauw naar boven, waar Karen haar met een zielig stemmetje roept. Ze is Karin voor nu even helemaal vergeten.

Zo gaat de tijd snel verder. Herma is zo druk met allerlei dingen, dat de maanden en de jaren zo maar tussen haar vingers door lijken te glippen. Met de kinderen gaat het goed, ze zijn over het algemeen gemakkelijk. Alleen Job is af en toe wel een driftkopje en dan gaat hij ook echt door het lint. Het enige dat dan helpt, is hem even in de gang te zetten om af te koelen en daarna is hij z'n boosheid ook weer snel vergeten. Hij is echt een moederskind. Als Herma 's avonds eens weg moet en Paul hem naar bed brengt, is het huis te klein. Karen is en blijft een gemakkelijk kind. Ze moedert graag een beetje over haar broertje en ze hangt erg aan haar vader. Om die patronen een beetje te doorbreken, hebben ze nu de regel ingesteld dat, als Paul en Herma allebei thuis zijn, Karen door haar moeder en Job juist door z'n pappa naar bed gebracht wordt. Karen vindt het allemaal prima, zolang iemand haar maar voorleest en lekker onderstopt, maar Job protesteert nogal eens. 'Ik wil mamma!' roept hij vaak. Herma vindt het soms wel sneu voor Paul, hij is gek op z'n kinderen en dan is het niet leuk zo duidelijk afgewezen te worden. Soms vraagt ze zich af of het haar schuld is. Behandelt ze Job niet te veel als haar baby?

Maar langzaamaan gaat het beter. Tegen de tijd dat Job drie wordt, is hij graag aan het voetballen met z'n vader en kan Herma geen enkele voorkeur voor haarzelf merken bij het kleine mannetje. Hoewel hij nog altijd graag een poosje bij haar op schoot klimt om met z'n duim in z'n mond te kroelen, wordt hij verder echt een stoer jongetje.

Karen is nu vijf, ze gaat al bijna naar groep twee van de basisschool. Soms denkt Herma dat de tijd veel te snel gaat. Maar ze geniet volop van alle fijne dingen, ze vindt dat ze een heerlijk leven heeft. Nadat ze de schriftelijke cursus pedagogiek heeft afgerond is ze daarmee verder gegaan aan de Volksuniversiteit in Delft.

Ze speelt gitaar, zit volop in het jeugdwerk van de kerk, neemt deel aan een bijbelstudiegroep en ook gaat ze nog steeds één keer per week met Tabitha zwemmen. Gertjan en Tabitha zijn echt goede vrienden van Paul en haar geworden en ook de kinderen kunnen leuk met elkaar overweg.

Er is één ding waar ze niet zo gelukkig mee is: het weinige contact dat ze met Karin heeft. Na het mislukte plannetje voor Brussel is er geen ander plan meer gemaakt. Steeds zo rond hun verjaardag neemt ze zich voor een concreet plan te maken en dat Karin voor te leggen, maar het komt er gewoon niet van.

Op een avond in september, als de kinderen op bed liggen, begint ze erover tegen Paul.

'Ik vind het zo erg dat Karin en ik steeds meer uit elkaar gegroeid zijn. Vroeger in Amsterdam en zeker ook in Drenthe was ze mijn beste vriendin. En moet je nu kijken: we zien elkaar een paar keer per jaar. En dan blijft het allemaal nog oppervlakkig ook, we praten nooit meer echt samen.'

'Nou, doe er wat aan, zou ik zeggen,' zegt Paul laconiek.

'Doe er wat aan, hoe bedoel je?'

Paul legt het tijdschrift waarin hij zat te lezen neer. 'In november worden jullie dertig, een mooie gelegenheid om iets leuks te bedenken en haar mee te verrassen. Gewoon een paar dagen samen weg. Je hebt dan weer eens echt de tijd om bij te praten en je laat zien dat je, door met een voorstel te komen, het echt belangrijk vindt om tijd voor haar te maken.'

En als Herma nog aarzelt gaat hij wat ongeduldig verder: 'Kom op meisje, Karen en Job zijn geen baby's meer, je kunt ons echt wel een dag of wat alleen achterlaten! Soms ben je echt te veel moederkloek hoor.' Hij glimlacht erbij, maar Herma ziet aan zijn ogen dat hij het meent. Dat geeft opeens de doorslag voor haar. 'Je hebt gelijk, ik ga iets bedenken.'

De volgende dagen is ze er steeds in gedachten mee bezig. Wat is leuk? Eind november is hun verjaardag, waarschijnlijk is het koud. Dus veel anders dan een stad bezoeken zit er dan niet in. Maar misschien moeten ze eerder gaan? Half of eind oktober misschien? Dan is Karin waarschijnlijk net terug uit het buitenland en breekt er altijd een rustigere tijd voor haar aan.

Als ze op een ochtend Karen naar school heeft gebracht gaat

ze langs bij het reisbureau en laat zich daar uitgebreid voorlichten over de mogelijkheden. Een wandelweekend in de Ardennen of een boottocht in Duitsland? Er worden nog allerlei andere ideeën aangedragen door de medewerkster van het reisbureau en beladen met folders stapt Herma een poosje later de deur uit. 's Avonds, als de kinderen slapen, bladert ze samen met Paul door de reisgidsen.

'Je moet allereerst bedenken wat Karin en jij allebei leuk zouden vinden,' zegt Paul. 'Een boottochtje over de Rijn is echt niks voor Karin, zij houdt meer van actie. Dus die folders kun je gelijk wegleggen.' Hij heeft een andere gids gepakt. 'Kijk, wat vind je hiervan: wildwaterkanoën in België, hoe lijkt je dat?'

Herma pakt het blad uit zijn hand en bestudeert de foto naast de tekst. 'Hoe wild zou wild zijn?' vraagt ze zich af. 'Ik weet niet of ik dat nou zo geweldig vind.' Ze leest wat er beschreven staat. 'Wel echt iets voor Karin, denk ik,' zegt ze aarzelend. Ze kijken nog wat verder, maar ze vindt verder niks dat haar echt aanspreekt.

'Ik zou hiervoor gaan als ik jou was, je kunt altijd nog ter plekke kijken wat je doet. Er zijn vast ook wel minder wilde tochten. En als je je zusje wilt verrassen, is dit een schot in de roos denk ik.'

'Ja, je hebt gelijk. Ik ga een leuke collage maken van deze foto's en zo. Volgens mamma is Karin volgende week een paar dagen in Nederland als pappa jarig is. Dan geef ik het aan haar, alvast als verjaardagscadeautje en dan kunnen we gelijk een datum prikken.'

Als ze even later zit te knippen en te plakken, krijgt ze er steeds meer zin in.

En het gaat zoals ze heeft gehoopt: Karin is op pappa's zestigste verjaardag. Ook al is het seizoen nog niet voorbij, toch is ze er speciaal voor overgekomen en de volgende dag zal ze alweer terugvliegen naar Turkije, waar ze tegenwoordig als hostess werkt. Als de meeste gasten 's avonds weer weg zijn, haalt Herma een grote envelop tevoorschijn. 'Kijk eens zussie, het is nog een beetje vroeg, maar hier is alvast mijn verjaardagscadeau voor jou.' Ze geeft Karin de envelop.

Als Karin hem heeft opengemaakt en de volgeplakte kaart eruit haalt, kijkt ze Herma verrast aan. 'Dát vind ik nou leuk zeg!' Hardop leest ze voor:

'Tegoedbon voor twee bijna-dertig-jarigen voor een lang weekend naar België, inclusief een dag wildwaterkanoën. Datum ergens in oktober in overleg.'

Spontaan slaat ze haar armen om Herma heen. 'Wat leuk! Gaat het er eindelijk dan toch van komen.' De agenda's worden erbij gepakt en na wat heen en weer gepraat wordt er een datum geprikt: eind oktober zullen ze gaan.

Langzaam loopt ze aan zijn arm door de gang, stapje voor stap-
je. 'Het gaat goed, joh,' zegt hij. 'Je zult zien dat je straks in het
revalidatiecentrum helemaal met sprongen vooruit zult gaan.
Daar zijn ze gespecialiseerd en de hele dag erop gericht om je te
helpen en te leren.'

Ze geeft geen antwoord, het lopen kost al genoeg inspanning.
Ze weet ook niet wat ze zou moeten antwoorden; ze ziet er-
tegenop om weg te gaan uit het ziekenhuis. De veilige plek te
verlaten om naar de onbekende, nieuwe omgeving te gaan. Maar
ze weet dat het moet. Ze heeft al heel wat geleerd in het zieken-
huis van de fysiotherapeut en de logopediste, maar nu wordt het
tijd voor het grotere werk: nog beter leren praten, schrijven,
lopen. En vooral het trainen van de hersenen: proberen de her-
inneringen weer boven te krijgen.

Maar morgen eerst een paar uur naar huis! Daar verheugt ze
zich op.

10

Als de datum dichterbij komt, gaat Herma er toch weer tegenopzien. 'Stel je niet aan,' zegt ze tegen zichzelf, 'die kinderen kunnen echt wel een paar dagen zonder je.' Het voelt toch een beetje raar; ze is nog nooit eerder zonder Paul en de kinderen weg geweest. Maar als Karin die vrijdagochtend al bijtijds met haar auto voor de deur staat, heeft ze er toch wel veel zin in. Vrolijk zwaaien Paul en Job haar uit, dan rijden ze weg. Het is druk op de weg, toch kunnen ze lekker opschieten want er staan gelukkig geen files. Karin heeft een goede auto en ze rijdt stevig door. Eind van de ochtend rijden ze na een koffiestop de grens over. Ze zingen samen oude liedjes, soms tweestemmig net zoals ze vroeger deden als ze achter in de auto bij hun ouders zaten. 'Leuk, hè?' Karin geeft Herma een klapje op haar been.

'Ja, we hadden het echt veel eerder moeten doen, mijn schuld.' geeft Herma toe.

'Vanaf nu elk jaar?'

'Afgesproken!'

Als ze bij het hotel aankomen en uitgestapt zijn, rekken ze zich uit en pakken de bagage van de achterbank. 'Ziet er aan de buitenkant goed uit, hè? Kom op, naar binnen,' zegt Herma.

Karin blijft even staan, ze lacht terwijl ze zegt: 'Jij bent echt veranderd, vroeger zou je gewacht hebben tot ik je voorging naar binnen.'

Herma haalt de schouders op. 'Dat gebeurt vanzelf als je kinderen hebt, dan moet je het voortouw wel nemen. Trouwens: ik ben de oudste van ons tweeën; ook al scheelt het maar een kwartiertje, je bent en blijft mijn kleine zusje.'

'Ja ja, praatjesmaker, dat heb ik weleens anders gehoord.' Lachend lopen ze naar binnen.

Hoewel het hotel prima is en het weer meewerkt, toch wordt het weekend niet wat Herma ervan verwacht had. De eerste irritaties beginnen zaterdagochtend al bij de aanlegplaats van de kano's. Er zijn verschillende mogelijkheden: een echte wildwaterroute, waar Karin voor wil gaan of een wat rustiger traject, waar Herma voor kiest. Ze worden het niet eens en ten slotte gaat Karin de door haar gekozen tocht doen en besluit Herma om helemaal niet in een boot te stappen en om in het restaurant koffie te gaan drinken. 'Waar zien we elkaar weer?' vraagt Karin voor ze vertrekt.

Herma haalt de schouders op. 'Jij wordt aan het eind van je tocht opgepikt, ik weet niet waar en hoe laat precies, dus ik zie je wel weer in ons hotel.'

Ze draait zich om en loopt het restaurant in. Ze voelt zich echt teleurgesteld. Dat hele kano-gedoe hoefde al niet voor haar, ze deed het echt voor Karin, maar alles heeft z'n grens. Ze vindt zo'n wilde vaarroute echt eng, maar Karin kan of wil dat niet begrijpen. Is het nou echt te veel gevraagd als ze van Karin verwacht dat zij haar daarin een stapje tegemoet komt en ze samen voor een middenweg kiezen? Ze zucht; ja, blijkbaar is dat dus te veel gevraagd. Nou, dan maar helemaal niet. Maar leuk is het niet!

Tegen de avond zien ze elkaar weer op de hotelkamer. Herma heeft wat gewandeld in de omgeving en verder op haar bed liggen lezen. Karin komt terug met enthousiaste verhalen over de kanotocht. Maar de sfeer is een beetje weg. 's Avonds tijdens het eten doet Herma haar best om gezellig te praten, maar ze voelt zelf dat het allemaal een beetje stug gaat.

Karin voelt dat ongetwijfeld ook en na het eten stelt ze voor: 'Straks maar een beetje op tijd gaan slapen, Herma? Ik ben eigenlijk hartstikke moe van zo'n hele dag buiten.'

Herma slikt een scherp antwoord in. 'Mij best,' zegt ze, 'ik ga nog wel een poosje lezen.'

'Wat doen we morgen?' vraagt Karin als ze een uurtje later het dekbed over zich heen trekt. 'Je hoeft toch niet per se naar de kerk, hè?'

'Ik hoef niet per se naar de kerk, zoals jij dat zegt, al zou ik het wel leuk vinden om hier ergens een dienst te bezoeken. Maar ik vind een lekkere wandeling samen ook prima, hoor! Het wordt volgens de berichten ook morgen weer goed weer, dus misschien is dat wel een idee?'

'Mmm, beetje saai? Ik heb vandaag m'n beweging al gehad, ik dacht eigenlijk meer aan een stad. Ik heb gehoord dat hier ergens in de buurt elke zondag een grote rommelmarkt wordt gehouden, dan een leuk restaurantje zoeken en 's avonds wat kroegjes langs?'

'Sorry, maar dat is niet mijn zondaginvulling. Ik vind het heus geen punt om een keer niet naar de kerk te gaan, maar ik ga niet naar een markt, uit eten en weet ik wat allemaal.'

Karin is rechtop gaat zitten, het dekbed om haar schouders, en kijkt haar tweelingzus oprecht verbaasd aan. 'Herma! Doe niet zo hypocriet! De grootste helft van je leven had je geen enkele moeite met dit soort dingen op zondag. Ik sleep je niet mee het bordeel in! En niet uit eten? Hier in het hotel eet je toch ook als je hier morgen blijft? Kom op, zeg!'

Even blijft het stil, dan zegt Herma: 'Als we nu eens een tussenweg proberen te vinden? Morgenochtend een flinke wandeling, kop koffie ergens onderweg en dan eind van de middag terug, rustig hier in het hotel beetje lezen, beetje kletsen?'

Karin haalt geïrriteerd de schouders op. 'Zo'n weekend kunnen we over veertig jaar ook nog doorbrengen. Ik had het me gezelliger voorgesteld, Herma. Kom op, zeur niet zo en laten we doen zoals ik heb voorgesteld.'

Maar Herma schudt het hoofd, 'Nee sorry, echt niet. Vandaag heb jij je zin doorgedreven, misschien kun je nu een beetje rekening met mij houden. Joh, het gaat er toch niet zozeer om wat we doen, maar vooral om het gezellig samenzijn en weer eens goed bij te praten?'

Karin geeft geen antwoord, ze schuift onder het dekbed. 'Welterusten,' mompelt ze. Herma gaat ook maar naar bed, ze heeft geen zin meer om te lezen en ze voelt zich echt teleurgesteld over hun weekendje samen. Zijn ze zo uit elkaar gegroeid, of is zijzelf een zeurpiet geworden? Ze ligt nog lang wakker. Karin maakt zachte snurkgeluidjes naast haar, net als vroeger.

In tegenstelling tot de voorspellingen regent het de volgende dag. Het is geen weer om te gaan wandelen en ook niet om naar de stad te gaan. Ze gaan op het laatste moment ontbijten en drinken daarna koffie in de lounge van het hotel. Herma ontdekt een kast met allerlei spelletjes. 'Potje doen?' Ze houdt een dambord omhoog.

'Welja, wat moeten we anders? Misschien wordt het straks wat droger.' Maar later op de dag lijkt het alleen maar harder te gaan regenen en de stemming zakt zo mogelijk nog verder.

Was ik maar lekker thuis! denkt Herma in stilte. Nog een halve middag en een avond door te worstelen voor we naar bed kunnen.

Opeens lacht Karin naast haar, terwijl ze zegt: 'Ik weet wat jij denkt: waren we hier maar nooit aan begonnen. Zit ik er ver naast?'

'Ach, dat weer maakt het niet echt leuker natuurlijk,' omzeilt Herma een rechtstreeks antwoord. Karin stapelt de damstenen netjes in het doosje. 'Ik heb een voorstel,' zegt ze, 'lekker in de auto stappen en naar huis rijden, hoe lijkt jou dat?'

Herma kijkt haar van terzijde aan. 'Meen je dat nou?' vraagt ze.

'Ja, waarom niet. Het is vreselijk weer, we zitten onze tijd uit te zitten. En buiten dat: laten we eerlijk zijn, het is ons allebei tegengevallen, dat samen op stap, waar of niet?'

'Nou, tegengevallen... dat is misschien een groot woord. Maar ja, ik had me er wel meer van voorgesteld, dat is waar.'

'Tegengevallen dus,' zegt Karin. 'Maar weet je Herma, niet ik, maar jij bent degene die zo veranderd is, daar moet je misschien maar eens over nadenken.'

'Dankjewel! Ik denk dat dat wel meevalt, zij het dat ik niet meer zo volgzaam ben als vroeger toen ik altijd jouw zin deed. Als je dat bedoelt, ja, dan ben ik veranderd. Maar ik denk dat het helemaal niet zo verkeerd is. En wat dat naar huis gaan betreft, ik denk dat dat een goed idee is. Vind je het niet vervelend om in die plensregen te rijden?'

'Welnee, trouwens, morgen kan het nog steeds hozen. Als we zo weggaan, zijn we voor het echt donker is thuis. Doen?'

Even later hebben ze hun tas ingepakt en checken al uit. 'Als jij even hier wacht, rijd ik de auto voor de deur, beter één nat dan twee.' Met grote sprongen over de plassen rent Karin naar de parkeerplaats en een paar minuten later rijden ze weg. Het eerste stuk zitten ze zwijgend naast elkaar. Karin heeft al haar aandacht bij het rijden nodig. Het waait hard en de regen striemt tegen de autoruit. Ze moet de ruitenwissers steeds op de hoogste snelheid zetten en dan nog is het zicht beperkt. 'Gelukkig dat het zondag is, dan heb je tenminste nauwelijks vrachtverkeer. Die spetteren je helemaal onder met dit weer.'

Als ze net over de grens van Nederland zijn, lijkt de regen wat minder te worden. Karin zit weer wat meer ontspannen achter het stuur. 'Paul zal wel opkijken dat je er al weer bent,' zegt ze.

'Ja, dat denk ik ook. Je blijft toch wel eten voor je naar Amsterdam rijdt? Of blijf slapen, je had er toch op gerekend morgen pas thuis te komen.'

'Nee, ik ga gelijk door. Ik ga hier de snelweg af, ik val zowat flauw van de honger, even ergens een gezellig restaurantje zoeken. Dan zet ik je straks thuis af en rijd ik door naar Amsterdam. Ik denk dat we elkaar alleen maar meer gaan irriteren als ik nog langer blijf, denk je niet?'

'Welnee, waarom zeg je dat nou? Ik vind het jammer dat het zo eindigen moet Karin, ons weekendje samen weg.'

'Is dat mijn schuld?'

'Dat zeg ik toch niet? Laten we die discussie nu niet weer beginnen. Misschien zijn we allebei niet al te soepel. Maar neem nou gisteren: met zo'n kano het water op is al niet echt iets voor mij, ik had dat bedacht om jou een plezier te doen. En als er dan verschillende mogelijkheden zijn, had ik het wel leuk gevonden als jij dan weer een beetje rekening met mij had gehouden, zodat we samen een wat minder heftige tocht hadden kunnen doen. Maar dat wil jij dan ook niet.'

'Natuurlijk! Dus toch mijn schuld!' Boos trapt Karin het gaspedaal wat dieper in.

'Dat maak jij ervan, misschien ben ik te bang. Hé, doe een beetje rustig aan, je mag hier maar tachtig!'

'Rijd jij of rijd ik?' Nijdig kijkt Karin opzij naar Herma en trapt het gaspedaal nog wat dieper in.

'Karin! Pas op, daar...'

Een harde klap, het lijkt of Herma's schedel in brand staat, heel even maar, dan is het donker.

11

Paul duwt de rolstoel door de gangen van het ziekenhuis. 'Spannend allemaal?' vraagt hij. Herma knikt.

'We gaan maar een paar uurtjes naar huis, dan breng ik je weer terug, weet je nog?' Ze knikt weer. 'Ja,' haar stem is schor, ze voelt zich bang maar ook blij: ze gaat naar huis! Ook al is het maar voor even, het voelt toch goed.

Even later helpt Paul haar voorzichtig in de auto. 'Zit je goed?' Dan loopt hij om, stapt zelf in en gaat achter het stuur zitten. Dan rijdt hij weg.

'Is het ver?' Gespannen zit ze in de auto en kijkt naar buiten. Ze voelt zich onrustig, maar ze weet niet waarom.

'Drie kwartier ongeveer.' Hij legt even een hand op haar knie. 'Fijn hè, naar huis?'

Herma wordt moe van de drukte van het verkeer om haar heen, ze doet haar ogen dicht. Ze moet in slaap gevallen zijn, ze doet haar ogen open als de auto stopt. Ze kijkt naar het huis, waarvoor de auto stil staat. 'Waarom stop je?' vraagt ze.

Paul lacht. 'We zijn er, we zijn thuis.'

'Thuis?' Verbaasd kijkt ze naar het huis. 'Wiens huis?'

'Ons huis, herken je het niet? Kom,' hij is om de auto heen gelopen en helpt haar uitstappen, 'we gaan naar binnen.' Langzaam lopen ze over het pad naar de voordeur.

'Leuk huis! Waar zijn pappa en mamma?' Moeizaam komen de woorden.

'In hun eigen huis, wij wonen in Pijnacker, weet je nog?'

Ze geeft geen antwoord. Nee, ze weet het niet. Binnen kijkt ze rond, als ze hier echt heeft gewoond met Paul, moet ze toch iets herkennen? Ze kijkt naar hem, maar ze kan zich absoluut niet herinneren dat ze hier met hem gewoond heeft. Opeens valt de paniek weer over haar heen. 'Ik wil weg!' zegt ze.

'Ga nou eerst even zitten, dan maak ik een kopje thee voor je, of wil je koffie?' Hij brengt haar naar de bank. 'Zo, geef mij je jas maar.' Ze kijkt hem na als hij door de kamer heen en weer loopt. Het is een aardige man, maar ze kan niet geloven dat ze met hem getrouwd is. Harry is haar vriendje, hoe kan ze dan nu opeens met Paul getrouwd zijn? Als hij naar de keuken is gegaan, kijkt ze de kamer rond. In de hoek van de kamer staat een kerstboom, er liggen naalden op de grond. Is het al Kerst geweest? Ze weet het niet meer. Op de kast staan foto's. Ze staat op en loopt er met onzekere stappen naar toe. Er staat een foto met een stralend bruidspaar, ze herkent zichzelf en Paul. Ja, ze is dus echt met hem getrouwd, waarom voelt ze dat dan niet?

Op een andere grote foto staat een hele groep. Ze neemt de foto in haar hand, ze herkent pappa, mamma en zichzelf. Ze heeft de kleine jongen op haar arm. Ook Jasper staat erop en ernaast een vreemd meisje. Jasper heeft z'n arm om haar heen geslagen. Ook Paul staat erop, z'n ene arm losjes om haar schouder en aan de andere hand het kleine meisje, hoe heet ze ook alweer? Ze weet het niet meer, maar ze moet het wel weten, het is haar eigen kind! En is dat Karin? Wat zit haar haar vreemd, het is kort en rood.

Dan komt Paul de kamer weer in. 'Ik heb thee gemaakt, goed?' Ze knikt en zet de foto terug. 'Karin kort haar,' zegt ze.

Paul lacht. 'Dat zal ze wel mooi vinden. Leuke foto, hè?'

'Ja... hoe heten... de kinderen?' Herma vraagt het aarzelend.

'Karen en Job. Karen is naar Karin vernoemd en Job naar mijn vader.'

Herma is weer gaan zitten, ze geeft geen antwoord. Als ze haar thee op heeft zegt ze: 'De rest zien?'

'De rest?'

'Het huis.'

'Ja, natuurlijk!' Samen gaan ze voorzichtig de trap op, Herma kijkt in alle kamers. 'Mooi,' zegt ze, 'waar zijn... je kinderen?'

Ze ziet hoe Paul haar aankijkt. 'Onze kinderen,' zegt hij. 'Ze zijn bij Tabitha.'

Herma vraagt niet wie Tabitha is, ze is moe en wil weg, terug naar de veilige muren van de ziekenhuiskamer. Weg bij deze man, dit onbekende huis en al die dingen die ze blijkbaar zou moeten weten, maar die ze absoluut niet weet.

Ze wijst naar de kerstboom. 'Al bijna Kerst?'

'Dat was vorige week, weet je nog?' Ze weet het niet meer.

'Gaan we?'

'Wil je al weer weg?'

Ze knikt. 'Ik ben moe.' Het is waar, ze is doodmoe. Maar ze wil ook weg van hier, dit huis zonder herinneringen. Weg van die man, die hier schijnt te horen. Als hij in het ziekenhuis bij haar is, lijkt alles anders. Dan is hij de bezoeker, nu is zij de bezoeker. Maar een bezoeker waar dingen van verwacht worden, dingen die ze niet kan of heeft. Opeens slaat de paniek weer toe. Ze staat op. 'Ik wil weg!'

'Rustig maar, we gaan al.' Paul zet de kopjes in elkaar en pakt haar jas.

Even later zit ze weer naast hem in de auto. Ze kijkt door het autoraampje terwijl ze de straat uitrijden. 'Niet Drenthe, hè?'

'Nee, Pijnacker, we wonen in Pijnacker. Jij en ik met onze kinderen Karen en Job.'

Herma slikt en kijkt naar z'n gezicht. Is hij boos dat ze het niet meer weet? Hij stuurt de auto het dorp uit en kijkt haar even aan, hij glimlacht alsof hij weet wat ze denkt. 'Het komt wel goed, meisje!' Hij geeft weer even een kneepje in haar been.

Herma is blij als ze terug is in haar eigen vertrouwde kamer in het ziekenhuis. Ze is doodmoe en slaapt die nacht als een roos. De volgende dag hebben ze een gesprek met de arts. Hij legt nogmaals uit wat er gebeurd is met haar hoofd, waar de beschadigingen zitten. 'Daardoor is er een gedeelte van uw langetermijngeheugen verdwenen. We kunnen nog niet zeggen, of en in hoeverre dat nog terug zal komen. En ook het kortetermijngeheugen is aangetast, maar daar kunnen we mee gaan trainen.

Oefenen, oefenen en nog eens oefenen. En dat geldt ook voor de motoriek, ook die kan door intensieve training nog flink verbeteren. We verwachten dat u volgende week sterk genoeg bent om naar het revalidatiecentrum te gaan. Er is een plaatsje voor u in een revalidatiecentrum hier in Utrecht. U kunt vanaf nu ook regelmatig een middagje en later zelfs wel een nachtje naar huis.'

Herma kijkt hem verschrikt aan. 'Een nachtje?'

'Nu nog niet, als u eraan toe bent. We gaan het rustig aan doen. Geen zorgen.'

Geen zorgen, dat is gemakkelijker gezegd dan gedaan. Herma is bang: naar huis, dat betekent alleen zijn met Paul en de kinderen, ze voelt zich daar nog helemaal niet klaar voor.

's Avonds komen haar ouders weer op bezoek. 'Ik hoorde van Paul dat je nu algauw naar het revalidatiecentrum kunt?' zegt vader Kees.

Ze knikt, maar ze zegt niks.

'Fijn toch?' polst mamma. 'Des te eerder kun je weer naar huis. De kinderen missen je enorm. Mis jij hen ook?'

Ze haalt de schouders op, zelfs tegen haar moeder kan ze niet zeggen dat ze er helemaal niets bij voelt. Het zijn leuke kinderen, daar niet van, maar... ze voelen niet als haar kinderen.

'Ik begrijp dat het moeilijk is je te uiten,' zegt haar moeder, 'maar ook het praten ga je weer leren tijdens de revalidatie. Probeer een beetje vertrouwen te hebben in jezelf, het komt wel goed.'

Het komt wel goed, hoe vaak heeft ze dat de laatste tijd gehoord? Vast heel veel keren, want het heeft zich vastgezet in haar hoofd. Dat hoofd, dat verder wel een vergiet lijkt. Hoewel, sommige dingen onthoudt ze wel. Ze weet dat Paul en de kinderen vaak komen, evenals pappa en mamma. Maar Karin? Ze heeft het idee dat ze haar nog helemaal niet heeft gezien. Of is ze het vergeten? Zal ze het nog een keer vragen? Soms schaamt ze zich voor haar vragen als ze aan de reactie merkt dat het iets is van na het ongeluk, dat ze eigenlijk zou moeten weten. Ze wordt daar ook bang door. Maar ze mist Karin, ze wil het toch vragen.

'Karin?' meer zegt ze niet.

'Karin zorgt geweldig voor jouw kinderen, dat gaat allemaal goed hoor, maak je geen zorgen.' Haar moeder lacht geruststellend.

Zorgt Karin voor haar kinderen, dat heeft ze nog niet eerder gehoord, of toch wel?

'Ze heeft nu een rustige periode, in de winter is ze altijd in Nederland en werkt ze via het uitzendbureau. Dus ze had alle tijd en gelegenheid om voor Paul en de kinderen te zorgen. Daarom komt ze hier ook niet zo veel, als Paul hiernaartoe komt met Karen en Job gaat zij meestal een paar uur naar haar eigen huis in Amsterdam.'

Herma knikt maar weer.

Herma is ten slotte toch blij, als ze naar het revalidatiecentrum gaat. Ze wil beginnen met oefenen, ze wil goed kunnen lopen en praten, maar ze ontdekt steeds meer dingen die niet lukken. Haar fijne motoriek laat haar ook in de steek. Hoe beter ze zich gaat voelen, des te meer gaat ze dingen ontdekken die ze niet kan.

Ook de bezoekjes aan huis worden prettiger. De kinderen zijn niet meer verlegen voor haar en zijn niet bij haar weg te slaan als ze thuis op de bank zit. Het is vermoeiend, maar ook leuk om de kinderen om zich heen te hebben. Soms zit ze zomaar naar ze te kijken, zich verbazend dat het echt haar kinderen zijn. Voor haar gevoel is ze nog het meisje van zeventien jaar dat verliefd is op Harry. Ze vindt het moeilijk, zelfs bijna onmogelijk om Paul als haar man te zien. Als ze thuis is, legt Paul altijd een fotoboek voor haar klaar, waar ze samen met hem in kijkt. Foto's van trouwdag, van vakanties en van de kinderen. Het liefst kijkt ze in de boeken van de kinderen, dat voelt veilig.

Langzaam begint ze zich te realiseren dat Karin echt nooit

komt. Ze weet dat ze vaak dingen vergeet, maar ze voelt dat ze haar tweelingzus lang niet heeft gezien. De kinderen praten vaak over 'tante Karin', maar als Herma een dag in Pijnacker is, is Karin er nooit.

Als Paul haar op een zaterdagavond terugbrengt naar het revalidatiecentrum in Utrecht, vraagt ze onderweg: 'Waarom zie ik Karin nooit, ruzie?'

Paul is even stil, dan kijkt hij opzij, 'Je bedoelt of jullie ruzie hadden voor het ongeluk? Ik weet het niet precies. Jullie waren een weekendje samen weg, alvast voor jullie dertigste verjaardag. Naar België. Jullie zouden eigenlijk maandagochtend pas terugkomen, maar zondagmiddag zijn jullie al vertrokken. Volgens Karin omdat het toch alleen maar regende.' Hij zwijgt even, maar gaat dan verder: 'Ik weet het niet precies, Herma. In elk geval was het ongeluk de schuld van Karin, ze reed veel te hard in een bocht en zoals ik al zei, bij erg slecht weer. Nu voelt ze zich enorm schuldig tegenover jou, zijzelf had maar een paar schrammetjes. De auto is uit de bocht gevlogen, met juist de rechterkant, waar jij zat, tegen een lichtmast. De zes weken die jij in coma lag is ze regelmatig bij je geweest, maar vanaf het moment die je aan het bijkomen was, wilde ze niet meer. Ze kan je niet onder ogen komen, zegt ze. Karin is erg veranderd, Herma.'

'Ik ook.' Meer zegt ze niet. Paul zegt ook niks meer.

Ze probeert te denken over wat Paul zojuist heeft verteld. Ze probeert zich dingen te herinneren, maar het lukt niet. Een weekend weg, ruzie met Karin? Ze kan zich er helemaal niks bij voorstellen! Ze zwijgen tot ze Utrecht binnenrijden.

'Zo meisje, je bent er alweer bijna.' Op de parkeerplaats, voor ze uitstappen, draait Paul zich naar haar toe. 'Herma, kom je volgende week het hele weekend? Het mag, dat weet je.' Vragend kijkt hij haar aan.

'Slapen?' Ze voelt de paniek alweer opkomen.

'Slapen ja, lekker in je eigen bed.' Opeens lijkt hij haar angst te begrijpen. 'Je krijgt alle tijd die je nodig hebt, je mag ook in het logeerbed slapen. Of ik ga in het logeerbed, dat is ook best. Wil je dat?'

'Ik zal erover denken, goed?'

'Goed, dan hoor ik het wel als ik morgen met de kinderen kom, of later in de week.' Ze ziet de teleurstelling in zijn ogen, maar ze kan niet anders. Ze geeft hem een kus op zijn wang. 'Tot ziens.'

In het revalidatiecentrum gaat het goed. Ze merkt dat ze sommige dingen snel leert, andere zaken gaan wat moeizamer. Maar ze gaat steeds vooruit en dat voelt goed. Het lopen gaat haar steeds beter af, ze krijgt schrijfles en het formuleren van woorden en zinnen gaat ook langzaam beter. Lezen gaat in het begin ook moeilijk, maar al snel kan ze weer losse woorden en korte zinnen lezen.

Als ze bezig is tussen de andere patiënten voelt ze zich goed, maar zodra ze in aanraking komt met de buitenwereld tijdens haar bezoekjes aan huis of als de familie haar bezoekt, heeft ze vaak een machteloos en opstandig gevoel. Ze begrijpt vaak niet wat er gezegd wordt of ze herkent de mensen niet. Op haar kamer staan veel foto's met namen eronder. Elke avond voor het slapengaan repeteert ze de namen. Vooral de familieleden van Paul vindt ze moeilijk te onthouden. Op een avond realiseert ze zich opeens dat er geen foto van oma uit Amsterdam bij staat. Wanneer is oma voor het laatst geweest, vorige week of al langer geleden? Ze weet het niet. Ze moet het morgen aan iemand vragen. 'Oma' schrijft ze op een briefje. Zo, dat kan ze toch mooi weer, opschrijven wat ze wil onthouden!

De volgende avond komen haar ouders op bezoek. 'Je hebt nog geen zin om een nachtje naar huis te gaan, begreep ik van Paul,' zegt haar moeder.

Herma schudt het hoofd. 'Nee, laat me maar hier.'

'We hebben een ander plannetje bedacht, maar natuurlijk

alleen als jij het leuk vindt: Paul en de kinderen halen jou zaterdagochtend op en dan rijden jullie door naar Drenthe. Jullie blijven dan tot zondagmiddag bij ons en dan brengt Paul je weer terug, wat vind je daarvan?'

Herma lacht. 'Ja, dat lijkt me echt leuk!' Opeens valt haar blik op het briefje bij de foto's. 'Misschien kunnen jullie oma dan ook ophalen, ik mis haar echt.'

Even blijft het stil, Herma ziet dat haar ouders elkaar verschrikt en ongemakkelijk aankijken.

'Heb ik weer wat stoms gezegd,' vraagt ze bitter, 'ook ruzie met oma soms?' Ze schopt met haar voet tegen de schemerlamp naast haar stoel. O, dat onmachtige gevoel als van lopen in het donker, terwijl je steeds weer tegen obstakels aanstoot.

Haar vader is opgestaan en hurkt naast haar stoel. Hij pakt haar hand. 'Herma, oma is overleden, bijna vijf jaar geleden.'

Met verschrikte ogen kijkt ze hem aan. 'Oh!' Meer zegt ze niet. Wat moet ze nu voelen? Ze ziet tranen in haar moeders ogen, maar zelf voelt ze niks. Ze slaat haar ogen neer. 'Jammer,' zegt ze als het stil blijft. Haar vader houdt nog steeds haar hand vast, dat voelt goed. 'Leuk,' zegt ze dan maar, 'leuk om het weekend bij jullie te zijn. Komen Karin en Jasper ook?'

'We zullen het vragen,' haar moeder staat op. 'Zullen we zo gaan, het is nog een hele rit en het is slecht weer.'

Herma kijkt naar haar moeder, ze heeft het gevoel dat ze haar teleurgesteld heeft, maar ze weet niet waarom.

Zaterdagochtend staan Paul en de kinderen al om negen uur bij haar binnen. 'Mamma, wat leuk dat je meegaat naar opa en oma!'

Herma glimlacht, zo enthousiast heeft ze Karen nog niet eerder gehoord. Tenminste, ze kan het zich niet herinneren, maar dat zegt natuurlijk niet zo veel, bedenkt ze een beetje bitter.

Ze aait Karen even over het haar. 'Ik vind het ook leuk,' zegt ze. Even later zitten ze in de auto en rijden ze richting het oosten. De kinderen praten honderduit. 'Kom je nou ook een keer bij ons slapen?' vraagt Job.

'Een andere keer,' ontwijkt ze zijn vraag.

Onderweg stoppen ze even om koffie te drinken, dan rijden ze weer snel verder. 'Komen Jasper en Karin ook?' vraagt ze als ze er bijna zijn.

'Jasper en Marleen wel, Karin had iets anders.'

'Marleen?'

'Oom Jasper en tante Marleen, mamma.' klinkt het van de achterbank.

O ja... Jasper en Marleen... Jasper en Marleen... Jasper en Marleen... repeteert Herma in zichzelf.

Herma voelt zich blij worden als ze haar ouderlijk huis ziet. 'Hè, wat heerlijk om hier te zijn!' zegt ze tegen Paul als hij haar uit de auto helpt. De kinderen hollen ook al naar het huis toe. 'Oma, opa, we zijn er, hoor!' Binnen wacht Herma nog een verrassing, als ze binnen komt staat er een jonge vrouw op uit een stoel en zegt: 'Hoi Herma, ken je me nog?'

'Gerdine! Wat leuk! Jij bent echt niks veranderd! Natuurlijk ken ik je nog, hoe gaat het met je? Ben je niet getrouwd, of heb je je man en een heel stel kinderen thuisgelaten?' Ze merkt dat ze begint te stotteren, zoveel woorden achter elkaar gaat nog steeds niet heel gemakkelijk.

'Sorry, ik praat niet zo goed, geloof ik.' Gerdine staat nog steeds vlak voor haar, maar ze is bleek geworden. 'M'n man en zoontje zijn vorig jaar verongelukt.' Haar stem klinkt gesmoord, dan draait ze zich om en loopt de kamer uit. Er is een ongemakkelijke stilte gevallen.

Herma voelt zich boos worden. 'Het spijt me, hoor!' roept ze tegen niemand in het bijzonder. 'Ik doe natuurlijk alles fout, maar niemand vertelt me ook wat.' Ze stampt boos op de grond.

Job begint te huilen, hij gaat achter Paul staan.

'Rustig maar,' vader Kees komt naar haar toe. 'Hier kun jij ook niks aan doen, ga eerst maar eens zitten. Gerdine komt zo wel weer terug, ze neemt je dit heus niet kwalijk.'

Paul heeft Job getroost en zegt: 'Ga jij maar eens met oma mee naar de keuken, kijken of we wat lekkers bij de koffie krijgen, ik lust wel wat en jij?'

Job veegt zijn tranen af, maar hij loopt met een boogje om Herma heen als hij naar de keuken gaat. Herma ziet het, het doet haar pijn. Gelukkig komt Gerdine nu de kamer al weer in, ze glimlacht naar Herma en zegt: 'Sorry voor mijn reactie. Jij kon het niet weten, maar het ligt allemaal natuurlijk nog heel vers bij mij. Wat gelukkig dat jij jullie ongeluk wel hebt overleefd en dat jullie verder kunnen met je leven.' Ze gaat naast Herma op de bank zitten. 'Denk je dat je al bijna naar huis kunt, ik bedoel voorgoed? Of duurt dat voorlopig nog?'

'Ik weet het niet.' Dat antwoord geeft Herma altijd als iemand hiernaar vraagt. Het is ook waar, ze weet niet hoe lang ze nog intern in het revalidatiecentrum moet blijven, maar ze wil het ook niet weten.

De rest van het weekend verloopt goed. Zaterdagmiddag komen Jasper en Marleen. Herma is blij als ze haar broer ziet en Marleen begint haar inmiddels ook weer een beetje vertrouwd te worden. 'Jullie zijn niet getrouwd, hè?' vraagt ze voorzichtig. Ze is bang weer een foute opmerking te maken.

'Nee nog niet, maar er zijn wel plannen in die richting, alleen weten we nog geen precieze datum,' antwoordt Marleen. 'Maar we zoeken hard naar een huis of appartement, want nu betalen we allebei huur en dat is eigenlijk zonde: Jasper is eigenlijk nooit in z'n eigen flat, hij is altijd bij mij.'

'Wonen jullie samen? In Amsterdam?' vraagt Herma. 'Dat zal oma niet leuk...' Ze stopt, er was iets met oma, ach natuurlijk, zij is overleden.

Jasper is erbij komen zitten. 'Je bedoelt dat oma dat niet leuk gevonden zou hebben dat we samenwonen?' zegt hij. 'Nee, dat denk ik ook niet, oma was best ouderwets in die dingen. Samenwonen voor het huwelijk vond ze echt niks, ze was ook heel christelijk natuurlijk.'

Herma geeft geen antwoord, ze vangt Pauls blik, hij knipoogt naar haar. Ze begrijpt alleen niet wat die knipoog betekent.

Zondagochtend is Herma al vroeg wakker, dat is ze eigenlijk altijd. Als ze zachtjes de trap af loopt, ziet ze dat haar moeder al beneden is. 'Goeiemorgen, mam,' zegt ze als ze aanschuift aan de keukentafel.

'Zo, jij bent vroeg op! Niet lekker geslapen?'

'Jawel hoor, maar ik ben altijd vroeg wakker.'

'Echt waar? Dat was je vroeger nooit, je was een echt avond-mens.'

'O ja?' Verbaasd kijkt Herma haar moeder aan. 'Daar weet ik niks meer van. Ik vond het wel leuk om in m'n oude kamer te slapen, in m'n eigen bed.'

Moeder Hanny geeft geen antwoord. Ze had gisteren het twee-persoonslogeerbed opgemaakt voor Paul en Herma, maar Herma had gezegd dat ze liever in haar oude kamer wilde slapen.

'Tja, nostalgie. Wil je alvast een beschuitje? De rest zal nog wel even slapen, denk ik.'

Maar ze heeft het nog niet gezegd of Paul komt met de twee kinderen ook de keuken binnen.

'Ook al zo vroeg, maar ja, daar zijn het kinderen voor. Ook goed geslapen?'

'Nee, ik wil nooit meer met Job samen in het grote bed, hij schopte vannacht steeds!' zegt Karen. 'Oma, gaan we al eten, ik heb honger.'

Herma kijkt zwijgend naar de kinderen, ze lijken haar niet eens op te merken, ze hangen om Paul en hun oma heen.

'Zullen we niet op de anderen wachten,' vraagt moeder Hanny weifelend, 'dat is toch wel gezelliger?'

Paul kijkt op z'n horloge: 'Eigenlijk wil ik met de kinderen naar de kerk, ze laten zien waar ik vroeger altijd zat. Ga je ook mee, Herma?'

'Naar de kerk? Nou nee, ik geloof niet dat dat wat voor me is... ik bedoel... dat is vast heel druk aan mijn hoofd.'

'Als u het dan niet erg vindt, eet ik alvast met de kinderen, goed?'

Paul schuift Jobs stoel aan en begint een boterham te smeren.

'Ja natuurlijk, jouw ouders komen straks hier koffiedrinken, wist je dat? Dan zien zij jullie ook weer eens.'

'Ik ga nog even liggen, tot straks.' Herma loopt de keuken uit en gaat de trap weer op. Op haar oude, vertrouwde kamer kruipt ze in bed, diep onder het dekbed. Ze voelt zich bang en verdrietig. Waarom begon Paul nu weer over de kerk? Ze gaat toch nooit naar de kerk, nou ja, bijna nooit dan. Of toch wel? Paul is er al verschillende keren over begonnen, dat weet ze nu nog wel. Dat ze belijdenis heeft gedaan, elke zondag naar de kerk ging, ja zelfs zondagsschooljuf was. Ze kan zich er helemaal niks bij voorstellen.

Soms denkt ze dat ze haar allemaal voor de gek houden. Dat ze helemaal niet getrouwd is met Paul, de twee kinderen niet haar kinderen zijn en heel dat leven in Pijnacker het leven van iemand anders is en niet het hare. Maar overal staan de foto's die vertellen dat het wel zo is. En dan diep in haar hart het verlangen naar Harry op wie ze verliefd was, maar nu blijkbaar niet meer. Waarom denkt ze dan toch nog steeds aan hem? Ze begrijpt de dingen om zich heen niet meer. En dat kan haar doodsbang maken.

12

Paul zet de kinderen in hun autogordel en stapt dan zelf in. 'Daar gaan we, jongens!' Zijn stem klinkt vrolijk. Karen en Job zwaaien naar Karin, dan rijden ze weg.

'Waarom gaat tante Karin niet mee?' vraagt Job.

'Tante Karin gaat weer eens naar haar eigen huis in Amsterdam. Binnenkort gaat ze weer met het vliegtuig naar Turkije, dan moet ze daar weer werken. Maar ze komt voor die tijd vast nog wel een keertje gedag zeggen,' zegt Paul.

Even later rijdt hij bij Zoetermeer de snelweg op. Karen zit zachtjes op de achterbank te zingen: 'Mamma komt thuis, mamma komt thuis en daarom is het feest.'

Paul zucht zachtjes, hij hoopt dat het feest niet zal tegenvallen. Voor de kinderen, voor hemzelf en ook niet voor Herma. Hij weet dat Herma ernaar uitkijkt, maar er tegelijk tegenopziet om weer helemaal thuis te zijn. En als hij eerlijk is, geldt dat precies hetzelfde voor hem.

Natuurlijk, hij houdt van haar en hij is echt heel dankbaar en blij dat ze het ongeluk heeft overleefd en dat ze nu zover hersteld is dat ze drie dagen achter elkaar naar huis kan. Maar ze lijkt zo vaak totaal niet meer op z'n oude Herma. Achter zich zingen de kinderen nu samen het deuntje dat Karen zelf bedacht heeft. Hij schudt even z'n hoofd, ach hij moet zich niet zoveel zorgen maken, het komt vast allemaal goed. Maar het heeft natuurlijk tijd nodig, dat hebben de artsen ook nadrukkelijk gezegd. Dit eerste jaar is belangrijk: door intensieve training en oefening kunnen er nog dingen herstellen in het hoofd van Herma, maar zeker is het niet dat dit gebeurt. Het is hun allemaal uitgelegd door de neuroloog. Tijdens het ongeluk werd een gedeelte van de hersenen, de temporaalkwab, vooral beschadigd. En daarin ligt nu juist de opslag van de langetermijnherinneringen. En omdat de jongste herinneringen het gevoeligst zijn voor beschadigingen, zijn juist die laatste twaalf tot veertien jaar verdwenen. Maar er is meer beschadigd, want inmiddels is duidelijk dat ook haar kortetermijngeheugen niet goed meer werkt. Maar dat kan door veel herhalen wel weer wat beter gaan functioneren, volgens de artsen. Althans, dat hopen ze. Paul zucht nog eens. Het is voor Herma het allermoeilijkst, denkt hij, zij stapt een haar onbekend huis met een onbekend gezin binnen. Hoe lang zal het duren voordat het weer als haar eigen gezin voelt? En komt die tijd ooit wel weer?

Dan gaan zijn gedachten naar Karin. Hij vindt het jammer en is tegelijkertijd opgelucht dat ze vertrekt. Ondanks het verdriet en de zorgen waren het goede maanden deze winter. Langzaam leken ze wel een echt gezinnetje. Karin en hij met de twee kinderen. De eerste dagen waren wat onwennig geweest: Karin moest aan de kinderen wennen, en Job en Karen moesten net zo hard aan Karin wennen. Maar al snel ging dat goed en hij zag Karin veranderen van de altijd wat afstandelijke, in zijn ogen harde vrouw, in een lieve tante voor de kinderen. En ook voor hem zorgde ze. De eerste weken na het ongeluk, toen hij bijna dag en nacht in het ziekenhuis in Utrecht zat, zag hij haar niet veel. Als hij al thuis was, ging ze schuw en stil door het huis en als de kinderen naar bed waren, ging zij ook naar boven. Opeens had hij zich toen gerealiseerd dat niet alleen hijzelf, maar ook zij verdriet moest hebben. Het ging immers om haar tweelingzus waar ze het grootste gedeelte van haar leven heel close mee was geweest. Toen ze op een avond na een kort 'welterusten' naar boven wilde gaan, had hij haar teruggeroepen. 'Waarom ga je gelijk naar boven, we kunnen toch wel wat praten,' had hij gezegd. 'We zullen trouwens wel móéten praten, want hoe lang heb jij nog tijd om hier voor de kinderen te zorgen? Jij hebt toch ook je eigen leven en verplichtingen?'

Ze was de kamer weer ingelopen en op het puntje van een stoel gaan zitten. Hij was geschrokken van de wanhoop in haar ogen toen ze hem aankeek. 'Het ongeluk was mijn schuld, realiseer je je dat wel?' vroeg ze toen. 'Ik reed te hard, ze waarschuwde me nog, maar ik...' ze sloeg de handen voor haar ogen. Even was het stil gebleven, toen was ze verder gegaan: 'Wat kan ik anders doen dan er in elk geval nu voor jullie zijn? Tenzij je me niet wilt zien, dat zou ik me ook kunnen voorstellen. Want elke keer als je mij ziet, word je weer herinnerd aan Herma, aan het ongeluk, aan mijn rol daarin...'

'Doe niet zo raar!' Hij was tegenover haar gaan zitten. 'Karin, laten we dit voor nu en voor altijd uitpraten. Ik rijd ook weleens te hard, maar gelukkig is dat altijd goed gegaan. Dat het zo zou eindigen, dat heb jij toch ook niet gewild? Houd op met je schuldig te voelen! Weet je hoe hard Herma in het begin, voor de kinderen er waren, vaak rondscheurde in die eend van haar?' En toen ze geen antwoord gaf, was hij verdergegaan: 'Waarom kwamen jullie die middag al naar huis, jullie zouden toch pas maandag terugkomen?'

'Het weekend was niet zo gezellig als we ons hadden voorgesteld en het was ook nog eens vreselijk weer, vandaar...' Ze was opgestaan. 'Je kunt dat schuldgevoel echt niet uit mijn hoofd praten Paul, ik vind het lief van je, maar stel dat Herma...' wanhopig had ze hem aangekeken, 'hoe kan ik dan nog één rustig moment hebben in mijn leven?'

'Zo ver is het nog niet! De artsen zeggen dat het mogelijk is dat ze nog bijkomt uit haar coma. We houden moed, Karin. Bid maar voor haar, dat is zinvoller dan jezelf de put in praten.'

'Voor jou misschien, maar ik bid nooit. Ik denk dat je meer aan daden hebt en daarom ben ik hier.'

'Daar ben ik blij mee, ik zou niet weten wat ik anders met de kinderen moest beginnen. Tabitha heeft ook haar handen vol aan haar eigen gezin. Daar zouden ze wel een weekendje kunnen logeren, maar ook niet week in week uit. Maar daarover wil ik ook met jou praten. Je bent hier nu bijna drie weken, maar je zult onderhand toch ook terug moeten naar je eigen leven in Amsterdam? Je hebt toch een baan?'

'Zomers heb ik m'n verplichtingen als hostess. Maar nu, in de winterperiode werk ik altijd wat los-vast via een uitzendbureau. Ik heb dus geen enkele verplichting en hier heb ik gratis kost en inwoning, dus het salaris mis ik ook niet. Ik kan blijven zo lang nodig is en zo lang jij me om je heen kunt verdragen.'

'Doe niet zo gek, je hebt gehoord wat ik net zei. En als je hier langer blijft, krijg je ook een soort salaris. Ik wil niet dat je hier wie weet hoe lang voor niks loopt. Je eigen huur en dergelijke gaan toch ook door?'

Ze was opgesprongen van de stoel. 'Wie doet er hier nou gek? Doe jij alsjeblieft niet zo raar! Ik wil geen geld, ik wil alleen dat mijn zus beter wordt!' Huilend was ze de trap opgelopen, hij had haar laten gaan. Dodelijk vermoeid van alle spanningen had hij zomaar een poos op de bank voor zich uit zitten staren, toen was ook hij langzaam naar boven gegaan.

Maar daarna was de lucht toch wat geklaard, leek het wel. Karin ging niet meer elke avond naar haar kamer als hij thuis-kwam uit het ziekenhuis. Zijzelf was een paar keer mee geweest op bezoek, maar zodra Herma echt wat meer was bijgekomen en helderder werd, weigerde ze naar het ziekenhuis te gaan. 'Ik blijf wel bij de kinderen,' of 'ik moet nodig een middagje naar Amsterdam.' Ze had altijd een excuus als hij vroeg of ze mee-ging. Hij wist dat ze bang was en geplaagd werd door haar schuldgevoel.

'Herma vroeg naar je, ga toch eens mee! Ze herinnert zich dat hele ongeluk niet eens meer, ze wil jou gewoon zien!' Hij had het al een paar keer gezegd, maar ze deed het niet. Ook niet toen het steeds beter ging met Herma en de sfeer thuis meer ontspan-nen werd. Ze was wel vrolijker geworden, vaak hoorde hij haar met de kinderen lachen als hij thuiskwam. Dan leek het net of hij Herma hoorde, de oude Herma, van voor het ongeluk. De stem-men van de twee zussen lijken op elkaar, pas als hij de kamer-deur opendeed, drong het tot hem door dat het Herma niet was, maar Karin. In plaats van Herma's lange haren, zag hij Karins korte koppie. Sinds een paar weken was het niet rood meer, maar een beetje haar eigen donkerblonde kleur. De twee zussen wisten het geen van beiden, maar ze gingen weer steeds meer op elkaar lijken. Herma's haren waren kortgeknipt voor de operatie en Karins haar had weer dezelfde kleur als vroeger.

Was dat het wat de laatste tijd die onrust in zijn lijf veroorzaakte? De overeenkomst tussen die twee? Ach nee, hij houdt zichzelf voor de gek! Het heeft niks te maken met de gelijkenis tussen de twee zussen, het is juist het verschil. Herma, die hem als een vreemde behandelt, als een aardige kennis die af en toe eens langskomt. Herma, die zo in zichzelf gekeerd kan zijn en dan opeens weer boos en ongeduldig, ook naar de kinderen. En Karin? Karin is in zijn huis, ze zorgt voor zijn kinderen. Karin is warm en belangstellend voor hem. De laatste weken was er af en toe een spanning tussen hen die er niet zou moeten zijn. Of voelde hij dat alleen? Hij is een man, een gezonde kerel. Zijn lichaam verlangt naar een vrouw. Terwijl hij dat denkt, schaamt hij zich al. Hij wil zo niet aan Karin denken. Ze heeft hem ook nooit aanleiding gegeven om zo te denken, zij voelt dat helemaal niet. Of toch wel?

Gisteravond toen de kinderen op bed lagen, zij samen koffie hadden gedronken en de laatste speelgoedjes waren opgeruimd, had Karin gezegd: 'Ik ga zo maar eens naar boven, m'n spulletjes pakken, morgen ga ik weer naar huis.'

'We drinken toch samen nog wel een glas wijn zo meteen?' had hij gevraagd, en hij hoorde zelf hoe gretig zijn stem klonk. 'Juist omdat het je laatste avond hier is, nou ja, voorlopig dan. Je moet echt gauw een keer bij Herma komen kijken, hoor, ze vraagt voortdurend naar je.' Dat laatste was niet waar, Herma vroeg bijna nooit naar Karin. Naar wie vroeg ze eigenlijk wel, naar niemand toch?

Ze aarzelde. 'Goed, maar dan pak ik eerst even in en dan kom ik daarna nog wat drinken.'

Terwijl ze boven was, had hij een fles rode wijn met twee glazen gepakt. Even later kwam ze de kamer weer binnen. Hij schonk de glazen in. 'Op je gezondheid, Karin, en bedankt voor al je hulp. Ik kan er geen woorden voor vinden!'

'Probeer dat dan ook maar niet,' ze ging naast hem op de bank zitten. 'Proost, op jullie gezondheid en geluk.' Ze dronken en opeens was die spanning er weer geweest.

Karin had haar glas snel leeggedronken. 'Ik ga naar boven,' zei ze terwijl ze opstond.

'Karin…' hij was ook gaan staan. 'Meisje, ik meen het, ik wil je zo bedanken, ik…' Opeens waren hun armen om elkaar heen. Hij voelde haar lichaam trillen, had dat hem tot bewustzijn gebracht? Bewustzijn van wat hij aan het doen was? Hij had haar zacht op de wang gekust en had haar toen losgelaten, ondanks het verlangen dat door zijn lichaam klopte. Hij had zich omgedraaid en pas toen hij haar de trap op hoorde gaan, was hij weer gaan zitten. Heel lang had hij daar gezeten, worstelend met zichzelf. Eindelijk had hij de lichten uitgedaan en was zacht de trap op gegaan. In het donker stond hij even bij de bedden van zijn kinderen, toen ging hij naar zijn eigen slaapkamer. Hij kleedde zich in het donker uit en kroop onder z'n dekbed. Het bed was leeg en koud en ondanks dat Herma steeds vaker een paar dagen thuis zal komen, zal z'n bed waarschijnlijk nog heel lang leeg en koud zijn. Hij vouwde zijn handen en toen hij bad, vond hij eindelijk de rust die hij al dagen kwijt was. 'Vader, dank U, dat U ons vanavond bewaard hebt, dat er geen dingen zijn gebeurd die niet mochten gebeuren. Blijf ons nabij, ook de komende tijd. Ga met Karin mee, haar eigen leven weer in. En help Herma en mij om elkaar weer te vinden.' Zo was hij ingeslapen.

'Zijn we er bijna, pappa?' Paul schrikt op. Hij heeft maar zo'n beetje op de automatische piloot gereden. Hij was zo in gedachten, dat hij zelfs bijna de afslag voorbij zou rijden. 'Ja Job, nog heel even, we zijn al bij Utrecht. Mamma staat vast al klaar, denken jullie ook niet?'

Opeens is het blije gevoel er weer. Herma komt thuis! En nu langer dan voor één of hooguit twee dagen. Ze hoeft nu dinsdag pas weer terug en dan mag ze het volgende weekend opnieuw voor drie dagen thuis zijn. Daarna zal er steeds een dag bijkomen. En ook al zal het allemaal niet meevallen, zeker in het begin niet, ze gaan er weer voor. Herma krijgt van hem alle tijd en ruimte die ze nodig heeft. Even denkt hij weer aan Karin, maar die gedachte zet hij gauw uit z'n hoofd. Het is goed dat ze weer terug is naar haar eigen leventje en binnenkort weer naar het buitenland vertrekt. Ze moeten beiden even afstand nemen; als ze elkaar dan weer zien is alles vast weer teruggekomen in normale proporties. Zeker als Herma weer langzaam helemaal terug komt binnen hun gezin.

Herma pakt de laatste dingen bij elkaar en stopt ze in haar tas. Ze kijkt de kamer rond, niks vergeten? Nee, dit moet het zo'n beetje zijn. Ze voelt zich opgewonden, net als vroeger voor een logeerpartij bij oma. Of nee, dit is toch anders. Ze gaat op de rand van het bed zitten. Als ze vroeger bij oma ging logeren, was ze altijd samen met Karin. En ze wist ook van tevoren hoe het zou zijn. Een dagje de stad in, ergens een ijsje eten, 's avonds een spelletje met oma en dan samen met Karin in het logeerbed. Maar nu... nu moet ze alleen, ze weet niet hoe de dagen eruit zullen zien en 's avonds? Samen in het grote bed? Ze wil daar niet aan denken. Ze heeft wel geprobeerd daarover te praten met Paul. Ook tijdens de twee keer dat ze een nachtje thuis is geweest, kwam het natuurlijk aan de orde. Toen heeft Paul in het logeerbed geslapen, omdat zij zo onrustig slaapt en 's nachts ligt te woelen. Maar nu? Wat verwacht Paul van haar? Hij is haar man, maar zo voelt dat absoluut niet. Hij is aardig, dat zeker, maar zodra hij wat dichterbij komt, voelt ze angst in zich opkomen. Als hij een arm om haar heen slaat, moet ze altijd aan Harry denken. Harry, hoe zou het met hem zijn? Waarom is hun verkering uitgegaan? Ze zou het aan iemand willen vragen, maar ze durft het niet. Misschien toch een keer aan Jasper vragen, want hij woonde bij Harry in hetzelfde studentenhuis. Of is het raar als ze daarnaar informeert? Ze zucht ervan, moeilijk is het allemaal. Ze weet zo vaak niet of iets goed of verkeerd is van wat ze zegt.

Dan hoort ze lawaai op de gang, rennende voetjes. Haar deur gaat open. 'Mamma, we komen je halen!' Twee blije snoetjes, het vertedert haar. Daarachter Paul, hij glimlacht ook. Iedereen is blij, behalve zij. Ach welnee, dat is niet waar. Ze is ook blij, als ze maar niet zo bang was, bang voor al het onbekende dat haar wacht.

'Ben je er helemaal klaar voor?' Paul pakt haar tas.

'Ja hoor, we kunnen gaan.' Job komt naast haar lopen en geeft haar een hand. 'Tante Karin is nu weer naar z'n eigen huis,' zegt hij terwijl ze naar de auto lopen.

'Haar eigen huis, niet zijn eigen huis Job!' bemoeit Karen zich er mee.

'O, is ze al weg? Ik weet niet of ik al...' verschrikt kijkt Herma naar Paul.

'Ik ben in elk geval maandag en dinsdag vrij, weet je nog? En volgende week weer, daarna krijgen we een gezinsverzorgster op de dagen dat je thuis bent. Maak je maar geen zorgen. Vind je het jammer dat je Karin vandaag niet ziet?' Onderzoekend kijkt hij haar aan terwijl hij het autoportier voor haar openhoudt.

'Ja, jammer.' Ze zegt het gedachteloos, het is vast het antwoord dat hij verwacht. Ze weet eigenlijk niet eens goed of ze haar zus nog mist, het lijkt zo lang geleden. De zus van vroeger, ja, daar verlangt ze naar. Maar de onbekende zus van de foto, met de korte rode haren, daar verlangt ze niet naar.

Op de weg naar huis zijn ze allemaal stil, alleen Job zoemt af en toe zachtjes het liedje van de heenweg: 'Mamma komt thuis, mamma komt thuis', maar de andere woorden: 'het is feest' komen niet meer. Ze voelen allemaal iets van de spanning die in de auto hangt.

Als ze in Pijnacker aankomen, voelt Herma zich weer op visite, net zoals de vorige keren dat ze hier was. Deze keer is het huis versierd, binnen en buiten hangen slingers en er staan mooie bloemen in de kamer. Een aardige vrouw, die door de kinderen wordt aangesproken als 'tante Tabitha', heeft de deur opengedaan toen ze aankwamen en nu schenkt ze koffie in. 'Ik ben zo blij dat je er weer bent!' zegt ze als ze Herma de gebaksschaal voorhoudt. Herma glimlacht beleefd naar haar. 'Dankjewel, dat is aardig en wat een lekker gebak, ik kan bijna niet kiezen.'

'Nou, dat lijkt me niet zo moeilijk. Kijk, vlak voor je. Speciaal voor jou: een bananensoes,' zegt Tabitha lachend.

'Vind ik dat lekker?' Vraagt Herma onzeker. 'Je schijnt me goed te kennen. Sorry, ik ben even je naam kwijt... maar je bent de vriendin van Jasper, toch?' gelijk hoort ze dat het stil wordt om haar heen. Ze voelt dat ze een kleur krijgt. 'Fout hè? Het spijt me, ik...' Ze voelt weer de boosheid opborrelen.

'Het geeft niet.' Tabitha legt even haar hand op Herma's arm. 'Je kunt ook niet alles tegelijk onthouden, het komt heus wel weer. We waren vriendinnen en wat mij betreft zijn we dat nog steeds.' Ze knipoogt naar Herma en loopt dan met de gebakjes naar Paul en de kinderen.

Herma kijkt naar haar. Leuke meid, denkt ze, ik kan me best voorstellen dat ze mijn vriendin was. Maar tegelijkertijd bekruipt de somberheid haar weer. Wat heeft ze aan een vriendin als ik? Ze zet haar vorkje in de bananensoes en begint te eten. Heerlijk!

Karen komt bij haar stoel staan. 'Mamma, mag ik melk in je koffie doen?' vraagt ze.

'Melk? Nee, ik drink koffie zonder melk, toch?' Onzeker kijkt ze naar Paul.

'Wat je wilt,' zegt hij, 'je mag mij een schepje suiker geven Karen, in m'n koffie.'

'Mamma moet wel melk, dat mocht ik eerst ook altijd doen,' dramt Karen terwijl ze het melkkannetje pakt.

'Karen, zet neer.' En als ze niet gehoorzaamt, pakt Paul het melkkannetje uit haar hand. Er golft wat melk over de rand, op de vloer.

Herma kijkt toe hoe Paul een doekje uit de keuken haalt en zonder verder commentaar de gemorste melk opruimt. Karen is op de bank gaan zitten en eet een grote moorkop, zo uit haar hand. Natuurlijk knoeit ze nu weer slagroom. Vindt iedereen dat maar gewoon?

Paul volgt haar blik en zegt zachtjes: 'Laat maar, de kinderen zijn ook uit hun doen, morgen gaan we weer opvoeden, goed?'

Ze knikt. Het duizelt haar allemaal, de drukte van de kinderen, de gesprekken om haar heen. Ze is blij als Tabitha na het tweede kopje koffie opstaat en aankondigt dat ze naar huis gaat. 'Volgende week kom ik gauw weer een keertje aan, goed? Misschien is het leuk als ik dan ook een keer Gertjan en de kinderen meebreng, dan kun je ook met hen opnieuw kennis maken. Maar alleen als jij eraan toe bent hoor, doe maar rustig aan.' Ze slaat even een arm om Herma's schouder, dan draait ze zich naar Paul en zegt: 'Hé, als ik iets kan doen of je wilt de kinderen even kwijt, bel je maar hoor. En anders zie ik jullie morgen in de kerk wel. Doei!' Dan gaat ze weg. Die laatste woorden blijven zich herhalen in Herma's hoofd: dan zie ik jullie in de kerk wel. O ja, ook weer zoiets, daar heeft Paul het ook steeds over sinds ze af en toe thuiskwam: de kerk. Ze is op de zondagen dat ze thuis was, niet mee geweest en ze heeft er ook helemaal geen zin in. Vroeger thuis gingen ze weleens naar de kerk, zeker met Kerst en Pasen en als ze bij oma logeerden of als oma bij hen in Drenthe was. Maar verder... nee, voor haar hoeft het niet. Ze zucht zachtjes, nou ja, dat ziet ze morgen wel.

Om halfzes bakt Paul een stapel pannenkoeken en als ze gegeten hebben gaat hij naar boven om de kinderen te douchen. Herma blijft op de bank zitten, ze voelt zich overbodig. Zie je wel, Paul en de kinderen redden zich best, ze hebben haar helemaal niet meer nodig. Maar als Job en Karen met natte haren in hun pyjama de kamer inkomen, kruipen ze allebei naast haar op de bank, elk aan een kant. Karen heeft het grote Jip en Janneke boek meegebracht. 'Van de oom met de baard?' vraagt Job. 'Nee, van Janneke komt logeren,' zegt Karen.

'Allebei dan,' zegt Herma, 'we zoeken eerst de oom met de baard, heet het verhaal zo? En dan Janneke komt logeren.' Ze bladert in het dikke boek, 'O ja, hier, een oom met een baard.' Ze begint te lezen: 'Ik heb een oom, zegt Janneke. Poeh, zegt Jip ik heb er wel...'

'Nee mamma, fout!' Job slaat tegen het boek, zodat het dichtvalt.

'Wat fout!' Herma legt het boek neer. Ze voelt zich geïrriteerd door de reactie van de kinderen. Oké, haar stem hapert nog een beetje, maar ze kan toch weer lezen? 'Dan niet, hè?' Ze staat op en legt het boek op tafel. De twee zitten beteuterd op de bank. 'Mamma, je moet niet zeggen: Jip en Janneke, maar Job en Karen, als je voorleest.'

Niet begrijpend kijkt Herma haar dochtertje aan. 'Dat staat er toch niet?'

'Maar dat doet tante Karin ook.'

'Ik ben tante Karin niet.' Ze zegt het onvriendelijker dan ze bedoelt, maar ze is zo moe. Gelukkig komt net Paul de kamer binnen. 'Zo, wat zie ik, Jip en Janneke liggen al klaar? Ik lees jullie één verhaaltje voor en dan, hup naar bed. Het is hoog tijd.' En als Karen protesteert, zegt hij: 'Nee Karen, geen gezeur meer, morgen is er weer een dag. Ik kies er een uit, hier kijk eens: Moeder is ziek, die gaan we lezen.' Drie minuten later gaan ze met z'n vieren de trap op. Herma staat erbij als de kinderen samen hun gebedje doen. Ze voelt zich een buitenstaander en ze is blij als ze even later de trap weer afloopt naar beneden. 'Zo,' zegt Paul, 'ga maar lekker zitten, een beetje rust heb je nu wel verdiend. Valt het allemaal een beetje mee?'

Opeens begint ze te huilen, het zijn de eerste tranen nadat ze is bijgekomen uit haar coma.

De volgende morgen is ze al vroeg wakker, voorzichtig kijkt ze opzij. De plaats naast haar is leeg. Gelukkig! Ze gaat op haar rug liggen en denkt na over de vorige avond. Ze herinnert zich dat ze doodmoe was toen de kinderen eindelijk in bed lagen en Paul en zij beneden op de bank zaten. Ze heeft gehuild, dat weet ze ook nog. Dat was heel bijzonder, want het was de eerste keer na haar ongeluk dat ze kon huilen. De neuropsycholoog, met wie ze gesprekken heeft gehad tijdens de revalidatie, heeft haar bij herhaling verteld dat de emoties langzaam weer zouden kunnen terugkomen. Dus wellicht was dat huilen een goed teken. Want ze weet zelf dat haar gevoelens tot nog toe afgevlakt zijn, ze kan niet heel blij of heel verdrietig zijn. Alleen boosheid en onmacht, dat voelt ze wel regelmatig.

Paul vroeg gisteravond waarom ze huilde. Was ze bang, verdrietig of alleen maar moe? Ze wist het zelf niet, misschien van alles een beetje. Hij had weer geprobeerd haar gerust te stellen, hij was ongetwijfeld een lieve, goede man. Dat was het probleem ook niet, alleen... hij voelde niet als haar man.

'Ik ben zo blij dat je in elk geval weer thuis bent, de rest komt wel!' Hij had z'n arm even om haar schouder geslagen. Voelde hij haar verstijven bij z'n aanraking? Hij was gelijk een stukje bij haar vandaan geschoven. 'Het komt wel goed, we hebben de tijd,' zei hij, 'ga lekker op tijd je bed in, morgen ziet alles er weer anders uit als je uitgerust bent.'

'Waar... waar slaap ik?' vroeg ze.

'Gewoon, in je eigen bed, in ons bed.'

'En jij?'

'Zeg het maar.' Zijn stem had wat gespannen geklonken.

'Ik slaap nogal onrustig... vind je het erg om nog een paar nachten in die andere kamer te slapen?' Ze had haar ogen neergeslagen toen ze het vroeg.

'Prima, maak je geen zorgen, ik slaap daar totdat jij vraagt of ik weer bij je kom slapen, goed? Pas als jij eraan toe bent.'

Het was een opluchting geweest, maar toch had ze zich een

beetje schuldig gevoeld. Ze was niet lang meer beneden gebleven. Met een 'welterusten, Paul' was ze de kamer uitgegaan.

Nu is ze wakker, het is nog heel stil in huis, zelfs de kinderen slapen blijkbaar nog. Ze kijkt op haar horloge, het is bijna zeven uur. Ze gaat uit bed, doet haar ochtendjas aan en zachtjes sluipt ze de trap af. In de keuken zet ze theewater op en ze doet verschillende kastjes open tot ze een doosje met theezakjes vindt. Proberen te onthouden: kastje rechtsboven: thee, koffie, hagelslag en dergelijke. Als het water kookt, zet ze thee en smeert een beschuitje. Het is nog steeds stil boven als ze in de kamer op de bank gaat zitten eten. Wat is het vandaag voor dag? Gisteren is ze hier gekomen, toen was het zaterdag. Dan is het vandaag zondag. Wat zullen ze vandaag gaan doen, Paul en de kinderen? O ja, de kerk. Nee, niks voor haar trouwens, al die mensen daar die haar waarschijnlijk kennen en die zij niet kent! Dat wil ze echt niet. Maar als Paul het wil, moet ze dan mee? Is Paul eigenlijk de baas in huis?

Voor ze verder kan denken hoort ze lawaai boven. 'Pappa, waarom lig je in tante Karins bed? En waar is mamma?' Ze kan het antwoord van Paul niet verstaan, maar de kinderstem gaat verder: 'Waarom dan? Waarom slaap je niet bij mamma?' Herma zucht, ze kan niet horen of het Karen of Job is die de vragen stelt. Het kan haar ook niet schelen, zij hoeft gelukkig geen antwoord te geven. Maar daar komen de snelle voetstappen al de trap af. 'Mamma! Ben je al wakker? Zullen we een spelletje doen?' Job is binnengekomen en heeft een doos in z'n hand. 'Het is memorie, ik heb het van tante Karin gekregen voor m'n verjaardag.'

'Wanneer was je jarig dan?'

Job kijkt haar verbaasd aan. 'Dat weet ik niet, niet gisteren maar toen geloof ik, dat weet je toch wel? Tante Karin weet het ook.'

Nu komt Karen de kamer binnen, een knuffelkonijn in haar hand. 'Nee Job, je bent al lang jarig geweest, toen was mamma nog ziek. Hier is Bram, hij lag op de trap.' Ze geeft het konijn aan Job. 'En nu moet je mee naar boven komen, we gaan eerst aankleden, zegt pappa.'

Vanaf de bank bekijkt Herma de twee kinderen. Ze ziet hoe Karen haar broertje bij de hand pakt en mee naar de trap trekt. Ze heeft Herma's kant niet eens uitgekeken.

'Goeiemorgen Karen, lekker geslapen?'

Bij de kamerdeur kijkt het meisje even om. 'Goeiemorgen mamma, ja hoor. Kom, Job.'

Herma kijkt het tweetal even na, dan valt de deur achter hen dicht. Herma fronst haar wenkbrauwen. Opeens kwetst het haar toch dat het kleine meisje haar zo duidelijk niet nodig heeft. Ze beseft dat ze hard haar best zal moeten doen om weer een goede band met de kinderen te krijgen. En dat geldt zeker voor Karen.

Een kwartiertje later komen ze alle drie naar beneden. Paul gaat gelijk naar de keuken, ze hoort hem rommelen met borden en kopjes. Dan komt hij de kamer binnen en begint de tafel te dekken. 'Zondags ontbijten we altijd lekker uitgebreid,' zegt hij, 'met een gekookt eitje, geroosterd brood en zo. Jij hebt alvast een beschuitje genomen? Gelijk heb je.'

Ze knikt maar wat. 'Kan ik helpen?' vraagt ze dan.

'Nee hoor, kom maar zitten, het is klaar. Job en Karen, komen jullie ook zitten?'

Ze staat op en loopt naar de eettafel. 'Waar moet ik zitten?' vraagt ze onzeker.

Paul wijst naar een stoel. 'Daar, naast Job, je eigen plekje.'

Job schuift naast haar en Karen gaat naast Paul zitten, ze zegt: 'Eigenlijk is dat tante Karins plekje.'

'Nee hoor,' zegt Paul, 'net andersom: tante Karin zat altijd op mamma's plekje. Maar dat was natuurlijk alweer een poos geleden, dat ben je vast vergeten.' Hij knipoogt naar Karen.

'Nee hoor, dat weet ik echt nog wel. En mamma heeft pas toch ook een nachtje bij ons gelogeerd, toen zat ze toch ook op die stoel, weet ze dat niet meer?'

'Nee, dat is mamma denk ik even vergeten, hè mamma?' zegt Paul. En zich dan weer tot Karen kerend: 'Je weet toch, dat mamma door het ongeluk erge hoofdpijn heeft gehad, zodat ze soms dingen een beetje vergeten is.'

Karen geeft geen antwoord. Het valt Herma op dat het kind haar ook nu weer negeert. Ze praat niet tegen haar, maar vraagt dingen over haar aan Paul. Was dat gisteren ook al zo toen ze net thuiskwam? Of is er iets gebeurd? Ze weet het niet meer. Zwijgend eet ze haar geroosterde boterham met suiker.

'Gaat mamma ook mee naar de kerk?' hoort ze dan weer Karens stem.

'Dat moet je aan mamma vragen, niet aan mij,' zegt Paul.

Hè, nu had ze het wel prettig gevonden als Paul voor haar had geantwoord. Nu kijkt Karen haar aan. 'Ga je ook mee naar de kerk?'

Herma schudt het hoofd, 'Nee,' zegt ze, 'ik denk dat mijn hoofd dat nog niet aan kan.' Ze kijkt verontschuldigend naar Paul. Hij knikt. 'Nee, wen jij eerst maar eens aan ons, daar heb je voorlopig je handen vol aan, hè? Niet gelijk die hele mensenmassa over je heen. Ik zou nog maar een poosje lekker gaan slapen als ik jou was, je was zo vroeg op. Als wij dan terug zijn uit de kerk drinken we rustig koffie met elkaar, goed?'

Ze knikt en als Paul en de kinderen een halfuurtje later de deur uit gaan, gaat zij de trap weer op en kruipt boven in haar bed. Maar ze kan niet meer slapen. Na een kwartiertje staat ze op, ze stapt onder de douche en als ze klaar is, trekt ze haar ochtendjas weer aan en gaat naar beneden. In de kamer doet ze een kast open, ze is opeens nieuwsgierig wat er allemaal in zou kunnen liggen en staan. In de eerste kast vindt ze fotoalbums. Ze pakt de bovenste van de stapel en bladert er wat in. Ze ziet zichzelf en Paul, samen met Karen en Job. Alleen zijn de kinderen een stuk kleiner dan nu. Ze legt het album weer terug en kijkt verder. Op de volgende plank ligt een map met papieren. Ze doet de map open en leest verbaasd haar eigen naam op een EHBO-diploma.

Eronder ligt een certificaat van de Volksuniversiteit, opnieuw met haar naam erop. Pedagogiek, heeft ze daar een diploma voor gehaald? Ze kan er zich helemaal niks bij voorstellen. Ze bladert verder: behalve een strikdiploma en twee zwemdiploma's van Karen, liggen er nog verscheidene papieren met haar naam erop. Dierenartsassistente! Zij dierenartsassistente? Kraamverzorgster! Ze valt van de ene verbazing in de andere. Opeens gaat de deur open en staan Paul en de kinderen weer binnen. 'Zijn jullie er al?' Ze staat op van de stoel waarop ze met alle documenten op schoot is gaan zitten.

'Ja, hoe is het, een beetje aan het snuffelen in je verleden?' vraagt Paul met een glimlach. 'Als je je nu gauw gaat aankleden, zet ik ondertussen koffie, goed?'

'Tante Karin ging altijd gelijk drinken inschenken als we thuiskwamen uit de kerk,' zegt Karen. 'Ik wil niet wachten, ik heb dorst.'

'Mamma is zo klaar,' zegt Paul. 'Kom, dan mag jij me helpen in de keuken, goed?'

Herma hoort het meisje nog mopperen als ze de trap oploopt. Job komt achter haar aan naar boven. 'Mamma, mag ik even in het grote bed als jij gaat aankleden?'

Ze glimlacht, 'Ja hoor, dat is goed.'

Hij heeft z'n schoenen al uitgetrokken en samen met z'n onafscheidelijke konijn kruipt hij onder het dekbed.

Herma staat voor de kast: zijn al die kleren van haar of van haar zus? Nieuwsgierig schuift ze wat hangertjes opzij. De kleren komen haar totaal onbekend voor, maar er is vast wel iets dat haar past. Dan valt haar oog op de weekendtas aan het voeteneind van het bed. O ja, ze heeft natuurlijk kleren meegenomen vanuit Utrecht. Toch pakt ze een broek uit de kast. 'Van wie is deze broek?' vraagt ze aan Job, die vanaf het kussen zwijgend naar haar ligt te kijken.

'Ik denk van tante Karin.'

Toch van Karin? Maar waarom hangt dat dan in deze slaapkamer. Heeft ze hier bij Paul? Ach, wat maakt het haar ook uit. Ze pakt een broek en een truitje uit de tas en legt ze klaar op het bed.

'Job, kom! Pappa heeft drinken ingeschonken.' Opeens staat Karen in de slaapkamer. Pas als ze, gevolgd door haar broertje, de kamer uitloopt zegt ze over haar schouder tegen Herma: 'Kom je ook?' Dan verdwijnt het tweetal de trap af.

Langzaam kleedt Herma zich aan en volgt de kinderen naar beneden waar Paul de koffie heeft ingeschonken. 'Zo,' zegt hij, 'we hebben nog lekker een gebakje van gisteren over. Mamma mag eerst kiezen, oké jongens?'

Job knikt, maar Karen zegt met een boos gezicht: 'Waarom alweer zij?'

'Karen!' zegt Paul streng.

'Ik hoef niet,' zegt Herma, 'dus kiezen jullie maar.' Terwijl Job en Karen kibbelen over wie de laatste slagroomsoes mag, denkt Herma met verlangen aan de rust van het revalidatiecentrum. Nog twee volle dagen!

De rest van de zondag verloopt rustig. Herma doet haar best om de kinderen aandacht te geven, maar ze wordt er erg moe van. Vooral de omgang met Karen is niet zo gemakkelijk. Steeds weer voelt ze de kritische blik van het kind op zich rusten en regelmatig moet ze horen dat tante Karin het anders deed. Toch lijkt haar dochter langzaam wat bij te draaien. Als de kinderen eindelijk weer in bed liggen, gaat ook Herma algauw naar boven. Ze kleedt zich uit, poetst haar tanden en stapt in bed. Ze vindt het nog steeds moeilijk om alleen met Paul in huis te zijn. Het voelt heel anders dan de keren dat hij op bezoek was in het revalidatiecentrum. Toen was hij echt op bezoek en wist ze dat hij na een poosje weer zou vertrekken. Nu is het anders, ze heeft steeds het gevoel dat er hier iets van haar verwacht wordt. Ze weet dat dit haar thuis is, ze woont hier samen met haar man en kinderen, maar ze voelt er helemaal niks bij. Paul is aardig, daar niet van. Maar getrouwd met hem? Ze kan zich er echt niets bij voorstellen. Soms overvalt haar het gevoel dat ze haar een rol laten spelen in een film, of dat ze droomt en straks wakker zal worden thuis in Drenthe, wachtend op een brief van Harry. Ja Harry... toch kan ze zijn gezicht ook niet duidelijk meer voor zich halen. Raar is dat.

De volgende morgen zijn de kinderen al naar school als ze beneden komt. Paul heeft ze weggebracht, hij komt net binnen als ze de trap afloopt.

'Lekker geslapen?'

Ze knikt. 'Ja, jij ook?'

'Ja hoor, zal ik thee zetten?' Hij zet een bordje op tafel, pakt al pratend de kaas uit de koelkast.

'Kaas? Is er geen hagelslag?' vraagt ze.

'Wil je hagelslag?' Ze ziet dat hij verbaasd kijkt, maar zonder commentaar pakt hij het uit de kast en zet het op tafel.

'Eet ik nooit hagelslag?'

'Maakt niet uit, als jij hagelslag wilt, eet je dat toch gewoon.'

Even blijft het stil, Herma voelt zich alweer ongemakkelijk. Het lijkt of ze alles verkeerd, of in elk geval anders doet.

'In welke klas zitten de kinderen?' vraagt ze, om de stilte te doorbreken.

'Job zit pas in groep 1 en Karen in groep 3.'

'Groep? Hoe bedoel je?'

Paul gaat tegenover haar zitten. 'Sinds pakweg zo'n jaar of tien, ik weet niet precies hoe lang eigenlijk, hebben we de basisschool. De eerste kleuterklas heet nu groep 1, de tweede kleuterklas is groep 2, de oude eerste klas is groep 3 enzovoorts tot groep 8. Dat is de oude zesde klas.'

Herma zucht. 'Dus eigenlijk zit Job gewoon in de eerste kleuterklas en Karen in de eerste klas?'

Paul knikt. 'Straks gaan we ze samen ophalen en na de middag weer brengen, goed? Dan kun je zien hoe hun school en klas eruitzien.'

Ze eet haar boterham met hagelslag en staat dan op. 'Ik ga

maar douchen en aankleden. Van wie zijn die kleren boven in de kast, van Karin?'

'Welnee, alles is van jou hoor. Karin heeft haar kleren gewoon weer meegenomen naar Amsterdam.'

Als ze wat later samen aan de koffie zitten, vraagt Paul: 'Vind je het niet vreemd dat Karin helemaal niet komt of belt?'

Ze haalt de schouders op. 'Ja, misschien wel.'

'Herma, ik weet niet of je je ook nog maar iets kunt herinneren van vlak voor jullie ongeluk, maar het was Karins schuld dat jullie uit de bocht vlogen, tegen die lichtmast. We hebben het er een tijdje geleden al eens over gehad, weet je dat nog?'

En als Herma het hoofd schudt, gaat hij verder: 'Het regende erg hard, jullie hadden woorden in de auto en Karin reed veel sneller dan toegestaan. De auto is van de weg geraakt en juist met de rechterkant, waar jij dus zat, tegen een lichtmast geknald. Karin voelt zich erg schuldig en durft jou niet onder ogen te komen. Misschien moet jij haar eens bellen of schrijven?'

'Ik weet niet, hoor,' antwoordt Herma. 'Ze kan toch gerust komen, ik ben echt niet boos of zo.'

'Maar misschien moet je haar dat zelf vertellen? Volgende week gaat ze alweer naar Turkije en dan blijft ze de hele zomer weg. Als we haar nou eens bellen en jij nodigt haar uit om volgend weekend een keertje te komen? Dan kunnen jullie dingen uitpraten en kunnen we gelijk afscheid van haar nemen voor ze weggaat.' Even blijft het stil voor hij verder gaat: 'De kinderen willen haar ook vast graag nog een keertje zien voor ze vertrekt, ze heeft tenslotte maanden voor ons gezorgd.'

'Goed hoor, bel maar.'

'Ik denk dat jij moet bellen. Vanavond, als de kinderen naar bed zijn, goed?'

Ze knikt.

Even later lopen ze richting school. Al snel valt het Paul op dat Herma geen idee heeft welke kant ze op moeten. Bij elke hoek moet hij zeggen: 'hier rechtsaf,' of 'nu links'. Dan ontdekt hij dat ze zelfs niet precies weet, wat rechts en wat links is. Hij pakt haar hand, ze stribbelt zowaar niet tegen. Nu loopt het gemakkelijker samen.

Het begint steeds meer tot hem door te dringen dat er nog een lange weg voor hen ligt, veel langer dan hij zich gerealiseerd heeft toen ze de eerste keer naar huis kwam. Ze moet letterlijk alles opnieuw leren en omdat ook haar kortetermijngeheugen niet optimaal is, moeten veel dingen steeds weer herhaald worden.

De weg naar huis, met de kinderen huppelend om hen heen, is duidelijk opnieuw een totaal onbekende weg voor Herma. En als ze na de boterham weer naar school lopen, heeft ze weer geen idee welke richting ze op moeten.

Ook de volgende ochtend gaan ze met z'n vieren richting school, nadat Paul voor het ontbijt heeft gezorgd. En weer ziet hij Herma's aarzeling bij elke hoek van een straat.

Als de kinderen op school zijn, zit ze maar wat op de bank en bladert in fotoboeken. Steeds vraagt ze aan Paul: 'Wie is dit, waar was dat?'

Hij heeft het gevoel dat hij tien keer hetzelfde heeft verteld, maar steeds weer stimuleert hij haar om te kijken en geduldig vertelt hij wie of wat er te zien is op de foto's. Hij merkt haar frustratie als ze dingen niet direct herkent of weet, nadat hij het al eerder verteld heeft.

De kinderen zijn druk, ze vragen veel aandacht als ze uit school zijn. Eigenlijk voelt Paul zich een beetje opgelucht als hij 's avonds na het eten Herma's weekendtas in de auto zet.

'Zullen we gaan?' Mariska, hun vaste oppas, is er al, zij zal de kinderen naar bed brengen.

'Wanneer kom je weer, mamma?' Job slaat twee armpjes om haar hals als ze bukt om hem een kus te geven.

'Zaterdag, over vier nachtjes,' zegt Paul, als hij ziet hoe Herma staat na te denken over de vraag.

'Dag Karen.' Herma draait zich om naar haar dochter. 'Dag mam.' En zich tot Mariska wendend, gaat de kleine meid gelijk verder: 'Ga je voorlezen Mariska? Geen Jip en Janneke hoor, dat is zo kinderachtig. Ik wil nu uit het kabouterboek.'

'Karen, geef mamma eens een kus,' zegt Paul.

Met duidelijke tegenzin komt Karen naar haar moeder toe en geeft haar een snelle kus. 'Daag!'

Paul zucht, er moeten nog veel hindernissen genomen worden de komende tijd.

Als ze later samen in de auto zitten wordt er niet veel gezegd. Paul is moe en hij vermoedt dat Herma dat ook is. Hij kijkt van opzij naar haar. 'Viel het een beetje mee allemaal?'

Ze knikt. 'Jawel, alleen Karen... ze heeft me niet echt nodig, geloof ik.'

Paul legt even een hand op haar knie. 'Dat moet allemaal weer wennen joh, het komt wel goed. Je hebt ruim een halfjaar niet zelf voor ze gezorgd, dat is voor kinderen een hele tijd. Ze moeten ook weer even omschakelen. Binnenkort ben je weer helemaal thuis en je zult zien dat alles dan zo weer gewoon is.'

Herma geeft geen antwoord en Paul twijfelt zelf ook een beetje aan zijn optimistische woorden. Het kon weleens een hele poos gaan duren en soms vraagt hij zich af, of het eigenlijk allemaal wel weer goed komt. Zwijgend rijden ze verder, pas als ze dicht bij Utrecht zijn zegt Paul: 'Nu heb je nog niet naar je zus gebeld.'

Herma haalt de schouders op. 'Volgende keer dan maar.'

'Dan is ze al weer in het buitenland. Zullen we zo vanuit het revalidatiecentrum bellen?'

'Bel jij van de week maar, zeg maar dat ik het leuk vind als ze komt.'

Paul doet er het zwijgen maar toe, het is duidelijk dat het Herma helemaal niet interesseert of haar zus komt. Raar is dat, maar hij neemt zich voor om Karin toch zover te krijgen dat ze volgend weekend, dus voor ze weer voor enkele maanden vertrekt, bij hen langskomt.

Even later zijn ze op de plaats van bestemming aangekomen. Paul loopt even mee naar Herma's kamer, maar dan gaat hij al snel weer op weg naar huis. Op de terugweg ligt er een frons tussen zijn wenkbrauwen en diep in gedachten rijdt hij de weg terug naar Pijnacker.

Als ze eerst maar weer wakker is, hadden ze allemaal gedacht toen Herma in coma lag, dan is alles weer snel gewoon. Nou, dat is een grote vergissing geweest, daar komt hij meer en meer achter.

Tegelijkertijd staat Herma voor de foto's naast haar bed. Een voor een pakt ze ze op en kijkt ernaar. De foto van Karen en Job houdt ze wat langer vast, ze neemt zich vast voor om het vertrouwen van het kleine meisje weer te winnen. Met Job zal het geen probleem zijn, hij heeft haar al weer helemaal geaccepteerd. Als laatste pakt ze de foto van Paul, ze kijkt er een poos naar, dan zucht ze. Het is een leuke man, het is een aardige man, ja, zelfs een lieve man. Maar niet als háár man! Ze zet de foto terug, dan draait ze hem een kwartslag, zodat zijn gezicht niet meer haar richting opkijkt.

13

Het volgende weekend verloopt ongeveer hetzelfde. Zaterdagochtend heeft Paul samen met de kinderen Herma opgehaald. Job was duidelijk blij zijn moeder weer te zien, maar Karen reageert koeltjes. Op de heenweg wordt er ook niet gezongen in de auto.

Op zondagochtend gaat Paul met de kinderen naar de kerk. 'Geen zin om mee te gaan?' vraagt hij na het ontbijt. 'Of om met de kinderen mee te gaan naar de kinderdienst, misschien herken je daar toch weer dingen, je bent zelf tenslotte een hele poos actief geweest als juf.'

Ze schudt het hoofd. 'Nee, laat mij maar hier. Ik ga me zo aankleden en dan zet ik koffie als jullie thuiskomen, goed?'

'Mag ik ook thuisblijven?' vraagt Karen.

'Waarom wil je dat?' Paul kijkt verbaasd.

'Gewoon, ik wil bij mamma blijven.'

Paul kijkt van Karen naar Herma, hij ziet dat Herma ook verrast is. 'Prima,' zegt hij dan luchtig, 'dan gaan de mannen naar de kerk en de vrouwen passen op elkaar.' Even later gaan ze samen de deur uit.

'Zal ik je zo voorlezen?' vraagt Herma aarzelend.

'Nee, je moet eerst aankleden en ik wil boven met mijn poppen spelen, schooltje, en ik ben de juf.'

Herma zegt niks meer, ze gaat zich douchen en aankleden. Van Karen hoort en ziet ze niets meer. Als ze klaar is, kijkt ze bij het kind om de hoek, ze is verdiept in haar spel. 'Zal ik meedoen?' vraagt Herma.

Zonder op te kijken antwoordt Karen: 'Nee, dat hoeft niet.'

Even staat Herma besluiteloos bij de deur van de slaapkamer, dan loopt ze de trap af en gaat in de kamer zitten. Wat nu? Ze moest iets doen, maar het wil haar niet te binnen schieten wat het was. Ze pakt een tijdschrift en bladert er wat in.

Na een poosje gaat de kamerdeur open. 'Nu moet je denk ik bijna koffie maken. Mag ik al wat drinken?' Karen staat in de kamer en kijkt haar aan.

O ja, dat was het: koffie zetten. Samen lopen ze naar de keuken. Herma doet verschillende kastjes open. 'Wij mogen chocolademelk,' zegt Karen. 'En daar is de koffie.' Ze wijst naar een kastje. Het irriteert Herma een beetje, wat is dat kind een bijdehandje! Was ze altijd al zo? Terwijl ze een filterzakje en de koffiebus uit de kast pakt, vraagt ze: 'Waarom wilde jij niet met pappa mee? Je bent de hele tijd alleen boven geweest, dus je deed het niet om bij mij te zijn, toch?' Het kost haar moeite haar stem vriendelijk te laten klinken. Ze kijkt om naar haar dochter, die een pak chocomel uit een ander kastje pakt.

'Ik wilde je helpen, je weet niet waar de koffie staat en zo.'

Opeens krijgt Herma een brok in haar keel. Karen heeft dus al heel goed in de gaten dat de simpelste dingen moeilijk zijn voor haar moeder. 'Lief van je, hoor!' zegt ze terwijl ze Karen even over het haar streelt. 'Ik ben blij dat jij me zo goed helpt, want weet je, mamma moet eigenlijk alles opnieuw leren, raar is dat, hè?'

Karen kijkt haar even aan en knikt dan. 'Ik help je wel, hoor.' Het klinkt zo trouwhartig, dat Herma er helemaal warm van wordt. Je zult zien: tussen Karen en haar gaat het ook vast helemaal goed komen, net zoals met Job en haar. Nu Paul en zij nog.

'Karen,' vraagt ze dan opeens, 'toen mamma in het ziekenhuis lag en tante Karin hier was, ging zij toen weleens met jullie mee naar de kerk?' Ze weet eigenlijk niet eens waarom ze dat vraagt. Misschien wil ze proberen om erachter te komen, hoeveel haar zus deelde met Paul en het gezin.

Karen staat even stil met een pak chocomel in de hand. Ze fronst de wenkbrauwen. 'Ik weet het niet meer zo goed, eerst niet, geloof ik, maar later soms wel.'

Herma knikt maar wat. Weer zo'n raadsel: haar zus die naar de kerk gaat. En opnieuw vraagt ze zich af hoe goed de band tussen

Paul en Karin in het verleden was en nu is. Terwijl ze het koffieapparaat inschakelt, hoort ze de achterdeur opengaan. Paul en Job komen thuis.

Vanaf dat moment werpt Karen zich op als Herma's steun en toeverlaat. Paul kijkt er soms met gemengde gevoelens naar. Natuurlijk is het fijn dat Karen zo lief is voor haar moeder, maar soms vraagt hij zich af of het wel helemaal gezond is dat een kind van zes jaar zich zo verantwoordelijk voelt voor haar moeder. Het hoort toch andersom te zijn.

De sfeer wordt wel veel beter in huis.

Maar Karin is dit weekend niet gekomen, ze heeft niet gereageerd op het verzoek van Paul om langs te komen voor ze weer vertrekt.

Na een aantal weken neemt Herma afscheid van het revalidatiecentrum in Utrecht. Ze krijgt nu nog maar enkele dagen en later zelfs enkele uren therapie en dat kan ook heel goed in haar directe woonomgeving.

Paul moet ook nodig weer volledig aan het werk. Hij heeft de afgelopen tijd geweldige medewerking gehad van zijn collega's, maar het wordt tijd dat hij weer helemaal meedraait in de praktijk.

In het gezin komt nu dagelijks een speciale gezinsverzorgster, Tineke, die Herma in alles bijstaat. Het is een geweldige meid, die leuk met de kinderen omspringt en met eindeloos geduld Herma wegwijs maakt in haar huishouden. En dat laatste is hard nodig. Als ze de eerste dag samen boodschappen gaan doen, komt Herma tot de ontdekking dat ze geen idee heeft dat bijvoorbeeld die leuke rode knolletjes, waarbij een bordje 'rode bieten' staat, hetzelfde gerecht is dat ze vroeger bij haar moeder netjes geraspt in een schaal op tafel zag. En prei? Die lange groene stelen, kunnen die werkelijk veranderen in die lekkere groente met een kaassausje? Ze heeft geen idee wat en hoeveel ze moet kopen, laat staan dat ze weet hoe het bereid moet worden.

Maar Tineke legt alles uit, schrijft het thuis op briefjes of ver-
wijst naar een kookboek. Soms duizelt het Herma, ze moet zoveel tegelijk leren.

'Waarom onthoud ik het niet gewoon, dat moet iedereen toch?'
vraagt ze soms boos aan Paul of aan Tineke.

'Geduld, het komt heus wel,' zegt Paul. 'Je weet toch wat je
artsen gezegd hebben: herhalen, herhalen, herhalen. Dan blijven
de dingen eens vanzelf weer hangen in je hoofd.'

Tineke gaat elke dag pas naar huis als het eten al helemaal
klaar staat in de pannen. Ze schrijft op hoe lang alles moet
koken. Maar toch gebeurt het regelmatig dat er iets aanbrandt of
halfgaar op tafel komt. Paul probeert steeds op tijd thuis te zijn,
maar dat lukt niet altijd. Regelmatig moet hij ook 's avonds
dienst draaien, dan komt Mariska om te helpen de kinderen naar
bed te brengen.

Als het eten mislukt is, zeuren de kinderen en Herma wordt
boos. Ze kan soms opeens heel driftig uitvallen, dan kijken ze
verschrikt naar haar en zijn gelijk stil. Paul probeert met een
grapje de boel te relativeren, maar dat lukt niet altijd. Ook hij is
moe, hij heeft het gevoel steeds op zijn tenen te moeten lopen.
Soms betrapt hij zich erop dat hij terugverlangt naar de tijd dat
Karin voor hem en de kinderen zorgde. Karin... ze heeft zich
niet meer laten zien voor ze naar Turkije vertrok.

Zo proberen ze allemaal zo goed mogelijk met de situatie om
te gaan. Paul leeft onder hoogspanning: wat zal hij aantreffen als
hij thuiskomt, wanneer zal Herma weer echt zijn vrouw worden?
Herma loopt op haar tenen om alles te leren en te onthouden,
dikwijls gehinderd door hoofdpijn vanwege de drukte van de
kinderen. Regelmatig betrapt ze zich erop dat ze loopt te dromen
over de tijd met Harry en zich steeds maar afvraagt waarom ze
niet met hem, maar met Paul is getrouwd.

Zelfs kleine Karen heeft geen ontspannen kinderleven, zo lijkt
het. Ze let constant op haar moeder, voelt zich duidelijk verantwoordelijk voor haar, hetgeen Herma dikwijls weer irriteert. De

enige die vrolijk in het leven staat, lijkt Job te zijn. Hij is blij dat zijn mamma weer thuis is en de veranderingen lijken hem nauwelijks op te vallen.

Zo is het zomer geworden. Begin augustus heeft Paul twee weken vrij genomen. Ze hebben besloten om niet op vakantie te gaan, maar lekker rustig thuis te blijven. Opnieuw veranderingen zouden nog meer onrust brengen in Herma's hoofd.

De eerste week is het aardig weer, ze gaan er af en toe een dagje op uit en het weekend brengen ze door bij de familie in Drenthe. Als ze op zondagmiddag bij Herma's ouders aan de thee zitten, staan opeens Jasper en Marleen voor de deur.

'Hé, wat een verrassing!' Vader Kees heeft de deur opengedaan en komt achter de twee de kamer binnen.

Herma vindt het leuk haar broer weer te zien en ook Marleen, die ze intussen weer opnieuw heeft leren kennen, vindt ze echt aardig. Maar als iedereen druk met elkaar zit te praten, trekt ze zich terug in een hoekje van de grote kamer. Al die herrie om haar hoofd, daar kan ze gewoon niet tegen. Vanuit haar plaatsje kijkt ze naar Jasper en gelijk gaan haar gedachten weer naar Harry. Ze kan maar niet loskomen van dat verlangen naar hem, dat haar steeds weer bespringt. Paul en zij hebben nog steeds aparte slaapkamers, ze weet dat Paul eronder lijdt dat ze zo afstandelijk is, maar ze kan niet anders. Ze vindt hem echt een aardige, lieve man. Zelfs best een aantrekkelijke man en ook een leuke vader voor de kinderen, maar toch... haar verlangen gaat nog steeds uit naar Harry. Paul dringt nergens op aan, maar soms, als ze 's avonds samen op de bank zitten, slaat hij een arm om haar heen. En pas nog maakte hij, alhoewel op luchtige toon, een opmerking waaruit ze kon opmaken dat hij het wel fijn zou vinden om het logeerbed weer eens te mogen ruilen voor hun eigen bed. Ze had maar net gedaan of ze het niet begreep. Toch voelt het als een soort beklemming, er wordt wat van haar verwacht, maar ze kan het niet, of wil het niet. Zou ze aan Jasper kunnen vragen hoe het met Harry gaat? Of valt dat op, verraadt ze zichzelf daarmee?

'Wat zit jij daar in een hoekje, zusje?' Jasper komt naast haar stoel staan. 'Kom er eens bij, wij hebben groot nieuws.' Hij pakt haar hand en trekt haar omhoog uit haar stoel. Als ze weer in de kring van de familie zit, zegt Jasper: 'Vertel het maar, Marleen!'

Marleen lacht. 'Doe niet zo plechtstatig zeg! We komen vertellen dat we gaan trouwen.'

Enthousiaste reacties barsten los, iedereen feliciteert het stel, de kinderen worden er baldadig van en gaan lopen gillen. Herma houdt de handen voor haar oren, ze wordt gek van al die herrie. Ongemerkt loopt ze stilletjes de kamer uit, de trap op naar boven. Daar vindt Paul haar vijf minuten later, ze is op bed gaan liggen. 'Gaat het een beetje, meisje?' vraagt hij, terwijl hij op z'n knieën naast het hoofdeinde gaat zitten.

'Jawel, maar het was daar zo'n lawaai, ik kan er echt niet tegen. Ik dacht trouwens dat ze allang getrouwd waren.'

'Nee, ze wonen samen, daar ben je mee in de war, denk ik.'

'Hebben wij ook samengewoond voor we trouwden?'

'Nee, wij zijn eerst getrouwd, jij woonde nog hier thuis voor die tijd.'

'Waarom?' vraagt ze.

'Hoe bedoel je: waarom?'

'Ik was toch nog heel jong toen we trouwden, waarom hebben wij niet eerst een poosje samengewoond?'

'Dat wilden we niet, we wilden een huwelijk met Gods zegen daarover voor we gingen samenwonen.'

'O.' Meer zegt ze niet. Weer dat geloof, altijd weer dat geloof, ze loopt er steeds tegenaan bij Paul, bij Tabitha, ja zelfs bij de kinderen. En zelf kan ze er helemaal niets mee. Het is moeilijk om zich voor te stellen dat zij voor het ongeluk net zo dacht over bepaalde dingen.

Ze doet haar ogen dicht. 'Ik ga even slapen denk ik, beneden is het echt te veel lawaai voor me, vind je het erg?'

Hij is gaan staan en kijkt even stil op haar neer. Dan schudt hij het hoofd. 'Dat is goed, schat, tot straks.' Hij bukt zich en kust haar op het voorhoofd.

Herma slaapt niet, met open ogen staart ze naar het plafond van haar oude vertrouwde kamertje. Ze denkt aan Harry. Langzaam druppen er twee tranen op haar kussen.

Wat later komt Jasper zachtjes binnen. 'Slaap je?'

'Nee hoor.' Ze gaat half overeind zitten, leunend op een elleboog. 'Jasper... Hoe is het eigenlijk met Harry?' vraagt ze aarzelend.

'Met Harry? O, wel goed hoor, we hebben nog regelmatig contact. Hij is getrouwd en heeft twee kinderen. Dat is waar, hij is vroeger nog een poosje jouw vriendje geweest.' Nieuwsgierig kijkt hij haar aan. 'Herinner je je dat nog wel?'

'Ja.' Meer zegt ze niet. Dan komt Job de slaapkamer binnen, Herma is eigenlijk blij, nu kan Jasper geen lastige vragen gaan stellen. Want ze wil niet verder praten over Harry, bang dat ze zich verraden zal.

'Kom je nou weer beneden, mamma?' vraagt Job.

'Ja, ik kom.' Ze staat op en trekt het dekbed weer glad. Dan loopt ze achter haar broer en zoon de trap af.

Beneden wordt er nog steeds gesproken over de aanstaande bruiloft, die het volgende voorjaar plaats zal vinden. Herma zit er stilletjes bij, allerlei gedachten gaan door haar hoofd.

Die bruiloft, waarschijnlijk komt Harry dan ook. Hoe zal dat zijn? En Karin, zal ze dan eindelijk Karin weer eens zien? De gesprekken van de anderen gaan langs haar heen, ze is moe.

14

Na de zomervakantie krijgt Herma minder hulp. Tineke komt nu halve dagen en dat zal steeds verder afgebouwd worden. Herma traint zich erin om alle dingen die ze moet onthouden, op te schrijven. Overal in het huis hangen gele stickers met kreten zoals: *maandag bedden verschonen, halfzes eten opzetten, stofzuiger in gangkast.* Soms weet ze opeens dingen niet meer, waarvan ze dacht dat ze ze nu wel onder de knie had. Het maakt haar boos en verdrietig.

Op een dinsdagmiddag brengt ze, lopend met de fiets aan de hand, Karen en Job naar school. Het fietsen heeft ze opnieuw moeten leren en dat gaat weer prima, maar ze durft nog steeds niet met de kinderen voor- of achterop te rijden. Als ze de kinderen binnen heeft gebracht, stapt ze op en rijdt naar het dorp. Ze wil even gaan kijken voor nieuwe schoenen. Ze voelt zich trots als ze, na maar heel even gezocht te hebben, de schoenwinkel weet te vinden. Vorige week is ze hier met Paul en de kinderen geweest om schoenen voor Job uit te zoeken. Nu is ze zelf aan de beurt. Als ze even heeft rondgekeken, komt er een verkoopster naar haar toe. 'Kan ik u helpen?' vraagt ze vriendelijk.

Herma heeft een schoen uit het rek gepakt. 'Zoiets vind ik wel leuk, is dit mijn maat denkt u?'

Het meisje pakt de schoen uit Herma's hand. 'Dit is maatje 36, beetje klein lijkt me, welke maat draagt u?'

'Ik heb geen idee, iets van 40 of zo, of kan dat niet?' Ze voelt dat ze een kleur krijgt, als ze ziet dat de verkoopster haar een beetje bevreemd aankijkt.

'Ik ga even voor u kijken.' Terwijl het meisje naar achteren loopt, doet Herma vlug haar schoen uit en kijkt aan de onderkant. Ze ziet 38 staan. Stom, ze had van tevoren moeten kijken. Daar komt de verkoopster al weer, ze heeft twee dozen bij zich.

'Ik heb 39 ook maar meegebracht, als ik zo naar uw voeten kijk, lijkt 40 me rijkelijk groot.'

'Ik heb maat 38.' Ze zegt het een beetje kortaf.

'O.' Het meisje kijkt nu echt verbaasd. Herma voelt boosheid in zich opkomen, ze kan hier beter weggaan voor het echt tot een uitbarsting komt. Ze kent zichzelf wat dat betreft inmiddels aardig.

'Sorry, ik kom een andere keer wel terug,' mompelt ze, dan loopt ze snel de winkel uit. Voor de winkel pakt ze haar fiets en rijdt weg. Ze voelt hoofdpijn opkomen en voelt zich ellendig. O, dat onmachtige gevoel dat ze steeds weer ervaart van geen grip op de dingen te hebben. Op de hoek van de straat stapt ze af. Nu moet ze goed nadenken. Dit is de Oostlaan, welke richting moet ze ook alweer op naar haar eigen huis? Rechts... of toch links? Rechts, gokt ze. Maar al snel weet ze dat ze verkeerd rijdt, hier is echt niets bekend. Ze keert om en rijdt het dorp weer in. Maar nu ziet ze ook de straat van de schoenwinkel niet meer. Haar hoofd bonkt, wat moet ze nu doen? Na enige aarzeling spreekt ze een voorbijganger aan. 'Mevrouw, weet u waar de Holweg is?'

'Ja hoor, hier even rechtdoor, dan twee keer rechts tot u bij verkeerslichten komt en dan de tweede weg links.'

Het duizelt Herma, maar ze durft het niet nog een keer te vragen. Ze stapt op en rijdt maar door, gaat een keer naar links en dan naar rechts. Dan stopt ze weer en kijkt wanhopig om zich heen. Wat nu? Toch maar weer vragen, ze klampt een wat oudere mevrouw aan die juist van haar fiets stapt en weer vraagt ze naar de Holweg. De vrouw kijkt haar even aan en zegt dan vriendelijk: 'Als ik me niet vergis, bent u mevrouw Wiggers?'

Herma knikt, 'Ja,' zegt ze, 'dat klopt, maar ik geloof niet dat ik u ken, toch?' Dat laatste komt er wat aarzelend achteraan. Dikwijls blijken veel meer mensen haar te kennen, dan omgekeerd.

'Ik ken u vanuit de kerk,' zegt de vrouw.

Herma knikt maar wat, het zal wel. Ze voelt zich ongemakkelijk dat ze aan een bekende de weg heeft gevraagd naar haar eigen huis. Maar de vrouw lijkt het helemaal niet raar te vinden. 'Kom, dan fiets ik een stukje met u mee, we moeten dezelfde kant op.' Zwijgend rijdt Herma naast de vrouw, ze heeft al haar aandacht nodig voor het fietsen. Gelukkig praat de vrouw ook niet tegen haar, pas als ze een paar straten zijn doorgereden zegt ze: 'Kijk, als je hier rechtdoor rijdt, kom je aan het eind weer op de Holweg. Zou het lukken, denk je?'

Herma knikt. 'Ja, dank u wel.' Ze voelt de ogen van de vrouw in haar rug als ze doorrijdt. Of verbeeldt ze zich dat maar? In elk geval voelt ze zich heel ongemakkelijk en snel trapt ze door. Ze herkent de omgeving nu wel weer. Even later is ze thuis. Als ze binnenstapt en naar de kamer loopt om neer te ploffen op de bank, loopt ze toch eerst langs het schema dat Paul voor haar heeft opgehangen. 'Dinsdag drie uur: Job en Karen uit school halen', leest ze. Ze kijkt op haar horloge: halfdrie, ze moet al bijna weer weg. Ze laat zich op de bank vallen, ze is moe! Maar dan staat ze toch weer op, ze kan beter maar alvast weggaan, stel je voor dat ze weer de weg kwijtraakt. Ze gaat naar buiten, pakt de fiets en rijdt naar de school van de kinderen. Gelukkig, dat ging prima, ach ja, dat weet ze nu ook wel. Deze weg is ze al tientallen keren gegaan. Maar nu is ze natuurlijk veel te vroeg, ze voelt zich echt staan. Toch durft ze niet meer weg te rijden, stel dat ze dan weer verdwaalt. Ze heeft haar fiets neergezet en drentelt maar wat heen en weer. Gelukkig, daar is Tabitha. Bij haar voelt ze zich altijd op haar gemak en kan ze zichzelf zijn. Ze kan zich heel goed voorstellen dat zij ook voor het ongeluk haar beste vriendin was. Kon ze dat gevoel ook maar bij Paul hebben, die blijdschap dat hij echt haar man is. Ze zucht zacht.

'Gaat het goed?' Tabitha kijkt haar een beetje bezorgd aan. 'Je ziet er moe uit.'

'Ik ben naar het centrum geweest, ik wilde schoenen kopen.'

'En, geslaagd?' vraagt Tabitha.

Herma laat haar stem overgaan tot fluisteren, als ze zegt: 'Ik was verdwaald, ik kon de weg niet meer terug vinden.'

'En toen?'

'Gevraagd aan een voorbijganger, maar die vrouw kende me, ik schaamde me echt!' Herma krijgt weer een kleur als ze eraan terugdenkt.

'Dat hoeft toch niet. Kijk, daar moet jij nou vanaf! Je hoeft je nergens voor te schamen, accepteer gewoon de hulp die mensen je willen bieden, dan zul je je een stuk prettiger voelen.' Tabitha legt even een hand op Herma's schouder. 'Kom op, joh, jij kunt er toch niks aan doen! En de volgende keer gaan we samen, net zo lang tot je de weg weer kunt dromen.'

Dan komen de kinderen naar buiten. Eerst Job, z'n duim in z'n mond, hij is altijd moe aan het eind van zo'n hele dag. Wat later volgt Karen, ze trekt een vriendinnetje mee. 'Mam, mag Karlijn bij me spelen?'

Even aarzelt Herma, eigenlijk heeft ze er helemaal geen zin in, twee kinderen om zich heen vindt ze al druk zat. 'Van mijn moeder mag het,' zegt het kind, 'we hebben het al gevraagd.'

'Nou, vooruit dan maar. Komt je moeder je halen?' Ze kijkt zoekend rond, daar komt de moeder van Karlijn al aangelopen. 'Is het goed, niet te druk?' vraagt ze.

Herma knikt. 'Ja, goed hoor.'

'Dan kom ik haar om halfzes ophalen, kan dat? Dan kunnen we gelijk door naar zwemles om zes uur. Dat is toch al zo'n vervelende tijd en anders blijf ik op en neer rijden.' De vrouw geeft haar dochter een kus. 'Een beetje rustig zijn, hè, niet te druk, Karens moeder is erg ziek geweest.'

Tabitha staat er zwijgend bij. 'Zie je dat allemaal wel zitten?' vraagt ze als de moeder buiten gehoorsafstand is. 'Ik wilde me er niet mee bemoeien, maar als je zoiets niet ziet zitten, moet je dat gewoon zeggen, hoor.'

'Nee, het gaat wel, tot ziens! Kom jongens.' Ze zet Job achterop, hij zeurt dat hij moe is en niet kan lopen. De meisjes lopen naast haar fiets. Eerst blijven ze netjes bij haar lopen, maar al-gauw zetten ze het op een rennen. 'Karen, wachten!' Maar de meiden zijn de hoek al om. Met grote stappen loopt ze naast de fiets. Als ze de hoek om gaat, ziet ze ze gelukkig staan, netjes aan de rand van de stoep, ze zijn niet overgestoken. Als ze ten slotte thuis aankomt, voelt ze haar benen trillen, zo moe is ze. Ze tilt Job van de fiets en gaat met het drietal naar binnen. Eerst wat drinken en even uitrusten. Maar van dat uitrusten komt weinig. De kinderen zijn druk, ze spelen circusje. Job is de tijger en zit achter de meiden aan. 'Je zit in een kooi!' roept Karen. 'Je kunt ons helemaal niet pakken. Houd op, anders doe je niet meer mee.'

'Ik was ontsnapt.'

'Nee, je doet niet meer mee, ik wil alleen met Karlijn spelen.'

Nu gaat Job de meisjes plagen en dwarszitten.

'Mammaaa!' roept Karen. 'Laat hem eens ophouden.'

Herma zit op de bank, ze is zo moe. 'Job! Kom hier, laat die twee met rust.' Ze hoort zelf dat ze schreeuwt. 'En gaan jullie twee alsjeblieft boven spelen!'

Ze zijn alle drie muisstil geworden. Karen en Karlijn lopen de kamer uit, de trap op en Job gaat huilend in een hoekje van de kamer zitten, ver bij haar vandaan. Ze hoort hem zacht snikken. Zelf voelt ze ook de tranen over haar wangen lopen, ze voelt zich onmachtig Job te troosten. Zo blijven ze zitten tot de telefoon gaat. Eerst laat ze hem rinkelen, maar als hij maar blijft gaan, staat ze op en neemt op. Als ze haar naam noemt hoort ze zelf de bibber in haar stem.

'Herma, met Tabitha, gaat het wel goed daar?' Tabitha's stem klinkt ongerust.

Herma aarzelt even, dan zegt ze: 'Nee, het gaat helemaal niet goed.' En weer begint ze te huilen.

'Ik kom naar je toe.' De verbinding wordt verbroken.

Herma legt de telefoon neer en loopt terug naar de bank. 'Job, kom eens bij me,' zegt ze.

Schuw kijkt hij naar haar op, dan staat hij op en loopt naar haar toe. Ze trekt hem op schoot dicht tegen zich aan. Zo zitten ze nog als Tabitha via de achterdeur binnenkomt. Job glijdt van haar schoot en loopt naar Tabitha toe, hij begint weer te huilen. Tabitha tilt hem op. 'Waar zijn de meisjes?' vraagt ze.

'Boven... ze maakten zo'n lawaai met z'n allen, ik kan daar gewoon niet tegen, het spijt me zo, Tabitha.' Het doet haar pijn te zien dat Job direct naar Tabitha is gelopen, gevlucht lijkt het wel.

'Wat is er gebeurd?'

'Ik begon te schreeuwen, ze zijn allemaal geschrokken en ik zelf ook.' Ze kijkt haar vriendin verdrietig aan. 'Het lukt me gewoon niet en nu moet jij weer komen.'

'Dat geeft niks. Maar ik denk dat je met de kinderen moet afspreken dat er alleen een vriendje of vriendinnetje kan komen spelen als Paul thuis is. Je hebt je handen vol aan de gewone, dagelijkse dingen. Zal ik thee zetten?'

'Dat doe ik wel. Wil jij misschien even boven bij Karen en Karlijn kijken?'

Tabitha knikt en loopt de trap op. Even later komt ze weer beneden. 'Niks aan de hand, ze zijn heel eensgezind met de barbies aan het spelen.' Ze draait zich naar Job en vraagt: 'En wat ga jij doen, Job, zullen we samen een puzzel maken? Misschien wil mamma zo ook wel helpen als de thee klaar is?'

'Ik moet ook nog aardappels schillen en groente schoonmaken. En die moeder van Karlijn komt pas om halfzes, dan moet het eten al op.' Herma voelt alweer de paniek in zich opkomen.

'Heb je geen patat in je vriezer? Ja? Nou dan laat je die groente tot morgen liggen en dan doe je vandaag lekker gemakkelijk. Patat, potje appelmoes en iedereen is blij.'

'Maar op m'n schema staat andijvie,' zegt Herma aarzelend.

'Schema's zijn leuk, maar je mag er best eens van afwijken hoor. Zal ik de thee zetten?'

'Graag, maar waar zijn jouw kinderen, kon je wel zomaar weg?'

'Gertjan was al thuis, geen probleem. Hier, ga nou eens rustig zitten.'

Als de thee op is, komen Karen en Karlijn naar beneden. Karlijn kijkt een beetje onzeker naar Herma, maar Karen lijkt de uitbarsting van haar moeder alweer vergeten te zijn. 'Mogen we wat lekkers en dan buiten spelen?'

'Natuurlijk,' zegt Herma, blij dat Karen weer gewoon tegen haar praat.

'Job, doe je ook mee?' vraagt Karen.

Even later zijn de drie kinderen naar buiten en Herma haalt opgelucht adem. 'Je kunt gerust naar huis gaan hoor, ik red me nu wel.'

'Weet je het zeker?'

'Echt! Dat laatste uurtje kom ik wel door. En je hebt gelijk: die andijvie kan morgen ook, we gaan patat eten.'

'Goed zo!' Tabitha slaat even een arm om Herma heen. 'Het valt niet mee, hè meid! Maar het komt heus wel goed.'

De dagen beginnen alweer korter te worden en buiten wordt het kouder. Paul is er niet blij mee, dat het 's avonds al weer zo vroeg donker wordt. In de zomer bleef hij lang buiten rommelen als de kinderen eenmaal in bed lagen. Er was altijd wel iets te doen in de tuin of rondom het huis. Hij betrapt zich erop dat hij niet graag binnen is 's avonds. Want als hij naast of tegenover Herma zit, voelt hij steeds meer het verlangen naar haar. Maar zelfs een kus is haar al te veel. Als hij soms speels een arm om haar heen slaat, voelt hij haar afweer al. Het kwetst hem en wakkert zijn verlangen alleen maar aan. En 's nachts, alleen in het logeerbed, betrapt hij zich erop dat hij aan Karin ligt te denken. Hun laatste ontmoeting, vlak voordat Herma thuiskwam en hij haar in zijn armen had gehouden. Is het dan alleen de seks die belangrijk is in een relatie? Nee, natuurlijk niet. Maar ook op ander gebied ontvangt hij niets van Herma. Hij houdt zich steeds voor dat ze ziek is, hij voelt zich schuldig over zijn gedachten en verlangen. Maar hij moet altijd maar de sterkste zijn, de zorgende. En soms wordt ook hem dat te veel. Maar hij kan het niet laten merken. Trouwens, Herma is zo met zichzelf bezig dat ze niet eens lijkt te merken dat ook hij het af en toe moeilijk heeft.

Hij is blij als hij aan het werk mag, daarin vindt hij de afleiding overdag en soms in z'n weekend- of avonddiensten. Maar ook dan is er steeds weer op de achtergrond de zorg: redt Herma het wel thuis?

Ook worstelt hij met zijn geloof in God. Hij ervaart soms zo weinig van Gods nabijheid. En ook die gevoelens kan hij niet met Herma delen. Ze weigert nog steeds om mee te gaan naar de kerk. Elke zondag gaat hij samen met de kinderen, die hij aflevert bij de zondagsschool.

Herma leest plichtsgetrouw voor uit de kinderbijbel, maar ze zegt eerlijk dat ze net zo lief 'Pluk van de Petteflat' leest.

Hij begrijpt het niet. Toen ze net verkering hadden, wist ze ook bijna niets van het christelijk geloof, maar ze wilde wel met hem mee naar bijbelstudie, praatte er met hem over en wilde zich er in verdiepen. Deed ze dat toen alleen voor hem, omdat ze verliefd op hem was? Maar later had ze toch zelf heel bewust gekozen voor een leven met God? Waarom nu dan niet meer? En waarom was ze toen zo snel verliefd op hem geworden, terwijl ze hem nu blijkbaar maar net duldt?

Paul komt er niet uit. Hij heeft er een gesprek over gehad met de wijkpredikant, maar echt veel verder heeft dat hem niet geholpen. Over zijn verlangen naar Karin heeft hij daar ook niet durven spreken. Wel over hun gescheiden slaapkamers. Maar ja, daar is geen pasklare oplossing voor, dat begrijpt hij ook wel. Toen Herma thuiskwam heeft hij haar beloofd dat hij geduld zou hebben. Net zo lang tot ze er zelf aan toe zou zijn. Nu vraagt hij zich af, of die tijd ooit komt.

Half oktober komen de ouders van Herma op bezoek. Ze vertellen dat Karin binnenkort weer naar Nederland komt, het werkseizoen is voorbij.

'Dan heeft ze vast weer tijd om bij ons te logeren,' hoopt Job.

'Dat kan toch niet,' zegt Karen, 'pappa slaapt in het logeerbed. Waar moet tante Karin dan slapen?'

'Bij mamma in het grote bed.' Job merkt niks van de ongemakkelijke stilte die er is gevallen.

'Zal ik wat inschenken?' Paul is opgestaan. Ziezo, laat Herma zich hier maar eens uitredden, misschien is dat wel goed.

Maar Herma zegt niks en ook haar ouders weten hier duidelijk geen raad mee. Pas later in de keuken, als Paul een drankje inschenkt, komt zijn schoonvader bij hem staan. 'Daar schrok ik van jongen,' zegt hij. 'Ik begrijp dat het allemaal heel zwaar voor je is, maar misschien is het in werkelijkheid nog veel moeilijker dan wij kunnen denken uit de verte.' Hij legt even een hand op Pauls schouder. 'Denk je dat het goed is als ma eens met Herma praat over deze dingen? Misschien boekt een gesprek van vrouw tot vrouw meer resultaat dan een gesprek tussen de direct betrokken personen.'

Paul haalt de schouders op. 'Ik weet het niet, ik ben bang dat het alleen maar averechts zal werken. Ze... ze is er nog ver vanaf om het bed met mij te delen, zal ik maar zeggen.' Dan draait hij zich om. 'Sorry pa, ik praat hier liever niet over.' Dan loop hij de kamer weer in.

Er wordt verder niet meer over gesproken, maar bij het afscheid, als Paul nog even meeloopt naar de auto, houdt moeder Hanny Paul even stevig vast. 'Sterkte voor jullie allebei,' zegt ze. 'Misschien is het goed als jullie er binnenkort eens samen een paar dagen tussenuit gaan? Dan kom ik hier op de kinderen passen.'

Paul glimlacht naar haar. 'Lief van u,' zegt hij, 'ik zal het er met Herma over hebben, we bellen wel.' Dan zwaait hij de auto na. Met z'n handen in de zakken slentert hij naar binnen. Herma is in de keuken, ze zet de afwas in de afwasteil en laat er water in lopen. Ze kijkt niet op als Paul binnenkomt. Hij pakt de theedoek en wacht tot ze het eerste kopje op het afdruiprek zet. Opeens voelt hij toch weer vertedering als hij naar haar vermoeide gezicht kijkt. 'We zullen eens een vaatwasmachine aanschaffen, goed?' zegt hij. Verrast kijkt ze van opzij naar hem. 'Dat zou fijn zijn!' Ze glimlacht naar hem.

Hij vat moed door die glimlach en gaat verder: 'Weet je wat je moeder zonet voorstelde? Dat wij samen eens een weekendje weggaan en zij hier op Karen en Job komt passen, hoe lijkt je dat?'

Meteen betrekt haar gezicht weer. 'Zo'n gedoe, ik ben net zo lief hier hoor.' Ze plonst een bordje in het afwaswater.

'Dan niet!' Nijdig gooit hij de theedoek neer en met grote stappen loopt hij de keuken uit. In de kamer pakt hij een tijdschrift en gaat in een gemakkelijke stoel zitten. Vijf minuten later hoort hij Herma de trap opgaan. Hij kijkt op zijn horloge, tien over negen pas. Maar ze komt niet meer naar beneden. Het is heel laat voordat Paul de logeerkamer opzoekt. En dan ligt hij nog lang wakker, onwillekeurig gaan zijn gedachten weer naar Karin. Maandenlang heeft zij in ditzelfde bed gelegen. Karin... Ho, stop! Hij wil niet verder denken. Maar het is moeilijk zijn gedachten in een andere richting te sturen.

De volgende ochtend als hij wakker wordt, hoort hij Herma al beneden met de kinderen praten. Het is zondag en het verwondert hem dat ze al op is. Meestal blijft ze op zondagochtend liggen tot hij met de kinderen naar de kerk vertrokken is. Voelt ze zich schuldig over gisteravond? Of is ze gewoon vroeg wakker omdat ze gisteravond al zo vroeg naar bed ging? Als hij gedoucht en aangekleed beneden komt, ziet hij tot zijn verbazing dat ze zelfs al aangekleed is.

'Zo, jullie zijn vroeg!' zegt hij terwijl hij Job op z'n kruin kust. 'Lekker geslapen allemaal?' Bij die laatste vraag kijkt hij Herma aan. Maar zij houdt haar ogen gericht op de boterham van Job waarop ze hagelslag strooit.

'Mamma gaat mee naar de kerk,' zegt Karen, 'leuk hè pappa?'

Paul is aangenaam verrast, maar hij antwoordt zo neutraal mogelijk: 'Nou, dat is gezellig, fijn hoor!'

Herma kijkt hem nog steeds niet aan. De kinderen praten terwijl ze samen eten en pas als die twee na het eten naar boven stormen om hun tanden te poetsen, komt Paul erop terug. 'Ik vind het fijn dat je meegaat Herma.' Ze mompelt wat en loopt ook de trap op.

Paul blijft achter en haalt z'n schouders op. Nou ja, het belangrijkste is dat ze meegaat. Wat later rijden ze richting kerk. Bij het binnenkomen worden ze, en met name Herma, hartelijk begroet. Maar ze kijkt recht voor zich en knikt alleen stijfjes naar de mensen. De hele dienst zit ze stil naast hem. Onder de preek wil Paul haar hand even pakken, maar bijna ongemerkt trekt ze zich terug.

Pas op de terugweg lijkt ze zich te ontspannen en als de kinderen na de koffie zijn gaan spelen vraagt Paul voorzichtig: 'En, hoe vond je het nou, in de kerk bedoel ik?'

Ze kijkt een beetje van hem weg als ze vraagt: 'Wil je een eerlijk antwoord?' En als hij knikt, gaat ze verder: 'Het zegt me helemaal niks Paul. Ik ben meegegaan omdat ik het een eerlijke kans wilde geven, maar echt, ik heb er niets mee.'

'Dat kun je niet zeggen na één kerkdienst denk ik,' werpt Paul tegen. 'Als je het echt een eerlijke kans wilt geven zoals jij het noemt, dan zul je je wat meer moeten gaan verdiepen in deze dingen. Bijbelstudie, cursus, wat dan ook. Zullen we samen eens gaan kijken wat de mogelijkheden zijn?'

'We zien wel.' Ze staat op. 'Jij nog koffie?'

15

Langzaam lijkt het wat beter te gaan, tenminste, dat vindt ze zelf. Ze krijgt wat meer grip op de dagelijkse dingen, er komt wat routine in het huishouden en het koken. Tineke komt nu nog twee korte ochtenden, verder doet ze alles zonder hulp van buitenaf. Dat wil ze zelf zo, maar soms twijfelt ze eraan of het wel een goede keus is geweest. Ze is altijd moe en er komt veel op Paul neer als hij aan het eind van de middag thuiskomt.

De omgang met Paul en de kinderen blijft ze moeilijk vinden. Paul is lief en geduldig voor haar en hij neemt haar ontzettend veel uit handen. Maar meer dan een aardige, behulpzame man kan ze niet in hem zien. Ze weet en voelt dat hij onderhand meer van haar verwacht, maar steeds als hij dichterbij komt, komt het gezicht van Harry ertussen. Idealiseert ze de tijd met Harry? Ze weet het niet, soms denkt ze van wel. Komt het omdat daar, midden in de verkeringstijd met Harry, haar geheugen stopt? Hoe dan ook, het is er en ze heeft het gevoel dat ze er nooit uitkomt.

Met de kinderen heeft ze heel andere problemen. Ze houdt wel van ze, maar ze kan weinig van hen hebben. Vriendjes en vriendinnetjes mogen alleen nog komen spelen als Paul thuis is, gewoon omdat ze weet dat het te druk aan haar hoofd is. En verder voelt ze toch altijd een bepaalde afstand tussen Job, Karen en zichzelf. Eindeloos heeft ze in de babyalbums gebladerd, zoekend op de foto's naar een stukje herkenning. Ze probeert het gevoel op te roepen van de zwangerschap, steeds weer vraagt ze Paul naar die tijd. Hoe ze het samen beleefden, hoe het was. Maar altijd blijven het leuke, lieve kinderen, maar niet de kinderen die ze zelf ter wereld heeft gebracht. Ze kan zich niet voorstellen, hoe het moet voelen om een kind onder het hart te dragen, om je eigen kleine baby de borst te geven, te knuffelen. Voor haar gevoel heeft ze de kinderen kant en klaar gekregen toen ze zes en vier jaar oud waren.

Karen met name heeft een sterke eigen wil, gaat vaak veel te zelfstandig haar eigen weg. Als ze daar met Paul of soms met Tabitha over spreekt, beamen zij het, maar zelf weet ze net zo goed als ieder ander dat het zo gegroeid is door de omstandigheden.

Met Job heeft Herma de minste problemen. Hij is nog steeds een aanhankelijk jongetje, dat graag even bij z'n moeder op schoot kruipt en de verandering niet lijkt te merken of te hinderen.

Behalve met Tabitha en Gertjan hebben ze weinig contacten met anderen.

'Hoe was dat ook alweer voor mijn ongeluk?' vraagt Herma soms aan Paul.

En steeds weer antwoordt hij geduldig: 'Toen had je heel wat vriendinnen en kennissen.' En dan begint hij namen op te noemen van vooral mensen uit de kerk of van mensen die ze kende door de school van Karen.

'En jij? Ik heb er de energie niet voor, maar als jij naar iemand toe wilt moet je gewoon gaan hoor.'

Paul haalt de schouders op. 'Alleen is dat niet zo gezellig. Ik wacht wel tot jij het weer wat beter aan kunt. Trouwens, voor de kinderen 's avonds op bed liggen en de rommel is opgeruimd is het te laat om nog bij iemand aan te komen.'

'Is dat een verwijt?' Boos kijkt ze hem aan.

'Rustig maar, natuurlijk is dat geen verwijt, maar wel een feit. Herma, probeer nou eens om niet zo snel op te stuiven. Ik doe het allemaal met liefde voor jou en de kinderen, maar ik mag toch wel zeggen dat daar veel tijd in gaat zitten.'

Herma staat op en gaat naar boven. O ja, ze beseft wel dat Paul veel te veel moet doen in huis, naast z'n baan. Maar haar hoofd is aan het eind van de dag zo moe, ze kan dan gewoon niks meer hebben. Ze weet ook dat ze snel boos is, maar ook dat lijkt iets waar ze niets aan kan doen. Meestal loopt ze maar weg, voordat ze al te erg uit haar slof schiet over kleine dingen. Zoals ook nu.

Ze gaat op haar bed zitten en pakt maar weer een fotoboek, dit keer van hun eigen trouwdag. Ze kijkt naar de foto's van het stralende bruidspaar, wat was ze jong! Ze herkent haar eigen gezicht en dat van Paul, maar verder roepen de foto's opnieuw geen enkele herinnering bij haar op aan die dag. Wat zag ze er gelukkig uit. Wat kijkt ze verliefd naar Paul. Ach, waarom is ze niet met Harry getrouwd? Ze kan zijn gezicht weer moeiteloos voor zich halen.

'Ben je hier, zal ik koffie zetten?' Paul kijkt om de hoek van de slaapkamerdeur. 'Neem het album mee naar beneden, dan kijken we samen nog een keer, goed?'

Ze knikt, opeens een beetje beschaamd. Hij is zo lief voor haar en zij zit hier over Harry te dromen. Kon ze maar verliefd worden op haar eigen man!

Het is al verschillende keren voorgekomen, vooral toen ze net thuis was, dat ze mensen die langskwamen om te vragen hoe het met haar ging, aan de deur heeft laten staan. Gewoon omdat ze hen niet herkende. Soms kwam Paul er net op tijd bij, soms wimpelde ze de mensen direct af. Inmiddels is ze erachter, dat als iemand haar naam noemt bij de begroeting, het een bekende is die ze binnen kan laten.

Op een avond, als Herma net de kinderen naar bed heeft gebracht en zich beneden op de bank laat ploffen, wordt er gebeld. Hè, ze is al zo moe! Paul heeft dienst, hij is een uur geleden weggeroepen naar een boer. Daarom moest ze ook alleen de kinderen naar bed brengen. En juist als Paul er niet is, lijken die twee extra te treuzelen en te zeuren. Even overweegt ze de bel de bel te laten en niet open te doen. Maar dan staat ze toch maar op, het kan tenslotte net zo goed Tabitha zijn. Als ze de deur opent staat er een keurig geklede man voor haar.

'Mevrouw Wiggers? Fijn dat ik u thuis tref.'

Herma probeert het gezicht van de man te plaatsen, wie is het, waarom kent ze hem niet? Keurig in het pak... ach natuurlijk, het zal de wijkouderling zijn. Paul zei pas al, dat hij deze week een keer langs wilde komen. Ze doet de deur nu verder open. 'Komt u binnen.'

Het lijkt even of de man nog wat zeggen wil, maar dan stapt hij met een verraste glimlach over de drempel. 'Dank u wel. Is uw man ook thuis?'

'Nee, hij is net weggeroepen, maar hij zal zo wel weer komen.' Ze gaat hem voor naar de woonkamer. 'Ga zitten, dan zet ik koffie, of liever thee?'

'Als het geen moeite is, vind ik een kopje koffie wel lekker.'

Herma verdwijnt in de keuken. Hè, dat Paul er nou niet is, zit ze alleen met die man en hij komt natuurlijk vragen waarom ze niet in de kerk komt. Terwijl de koffie doorloopt, blijft ze in de keuken. Maar dan moet ze toch weer naar binnen. Ze draagt het blad met twee kopjes de kamer in.

De man zit op het puntje van z'n stoel, zou hij nog maar net ouderling zijn en zo'n bezoek ook nog spannend vinden? Of ziet hij ertegenop om haar, het verdwaalde schaap, terecht te wijzen?

'Alstublieft.' Ze zet het kopje voor hem neer.

'Ja, dank u wel.' Hij kucht even. 'Kan ik ter zake komen of wilt u op uw man wachten? Misschien kan ik dan beter een andere keer terugkomen?'

Herma kijkt hem wat bevreemd aan. 'U mag ook een andere keer komen hoor, als u geen tijd hebt om te wachten. Want ik vind het prettiger als Paul er ook bij is.'

Juist op dat moment gaat de telefoon. Herma neemt op, gelukkig, dat is Paul.

'Gaat alles goed, kinderen lief gaan slapen? Ik ben hier nog bij Weerheim, hij vroeg of ik nog even een kop koffie blijf drinken. Vandaar dat ik even bel, over een halfuur ben ik thuis, oké?'

'Nee, we hebben bezoek, kun je niet gelijk naar huis komen?'

'Ja natuurlijk, dan ben ik binnen tien minuutjes thuis. Wie is er?'

'Eh...'

'Iemand van de kerk, Jaspers, onze wijkouderling?'

'Ja, nou tot zo.' Het irriteert haar altijd weer als ze moet toegeven mensen niet te herkennen. Gelukkig merkt Paul direct aan haar reactie wat er aan de hand is.

'Mijn man komt er aan, over vijf minuten is hij er.'

De man knikt en kijkt de kamer rond. 'U woont hier leuk, hoe lang woont u hier al?'

'Sinds...' Herma doet haar trouwring af en kijkt naar de inscriptie *Paul 22-4-81*.

'Sinds 1981,' zegt ze dan. Ze ziet dat de man haar een beetje verwonderd aankijkt. 'We wonen hier sinds onze trouwdag begrijpt u, vandaar dat ik even in m'n ring kijk.' Maar het is duidelijk dat hij het helemaal niet begrijpt. Ze voelt alweer boosheid in zich opkomen. Lekker voorbereid is hij op z'n bezoek, hij zal toch wel weten van haar ongeluk?

Maar dan hoort ze gelukkig de achterdeur opengaan en dan komt Paul de kamer in, een glimlach op z'n gezicht. Maar die verdwijnt als hij de man ziet zitten. Deze is opgestaan en steekt z'n hand uit naar Paul. 'Mijn naam is De Groot, assurantiën en leningen. Uw vrouw was zo vriendelijk me binnen te vragen. Ik begrijp dat u de folder die ik huis aan huis heb bezorgd hebt gelezen en dat u interesse hebt?'

Paul kijkt van de man naar Herma. 'Ik ben bang dat hier een misverstand in het spel is,' zegt hij dan rustig. 'Er zou iemand langskomen die mijn vrouw niet kent en helaas heeft ze u voor hem aangezien. Dus het spijt me, maar...'

'Nu ik hier toch ben, mag ik u dan niet iets meer vertellen over ons product? Tenslotte heb ik ook al heel wat kostbare tijd verloren,' probeert de man.

Maar Paul blijft staan bij de kamerdeur en zegt: 'Nogmaals sorry, maar we hebben u niet uitgenodigd voor een afspraak en we hebben geen enkele behoefte aan een verzekering of lening. Dus...' Uitnodigend houdt hij de kamerdeur open. De man staat op, pakt zijn tas en met een gemompelde groet loopt hij langs

Herma heen de gang in. Herma leunt achterover op haar stoel en beschaamd kijkt ze Paul aan, als hij even later de kamer weer binnenkomt. 'Het spijt me, ik voel me zo stom.'

Maar Paul begint hard te lachen en loopt naar haar toe. 'Het is echt niet stom, ik begrijp het best hoor! Je hebt zo vaak iemand aan de deur laten staan dat je nu dacht: dat overkomt me niet nog eens!' En als ze nog steeds niet vrolijk kijkt, gaat hij verder: 'Kom op, Herma, zie hier de humor nou toch van in, til niet overal zo zwaar aan.'

Langzaam breekt er op haar gezicht ook een glimlach door. 'Ik ben er nog lang niet Paul!'

'Dat geeft niet, het komt wel goed.' Ze kijken elkaar aan en schieten dan allebei in de lach.

Voor het eerst voelt ze weer een wat diepere genegenheid voor Paul. Ze wordt er helemaal blij van.

Een paar dagen later, juist als Paul weer even weg is, wordt er 's avonds om zeven uur opnieuw aangebeld. Herma droogt juist Job af, die net onder de douche vandaan komt.

'Ach Karen, wil jij even open doen?' vraagt ze haar dochter. Eigenlijk houdt ze er niet van als de kinderen 's avonds in het donker de deur opendoen als Paul niet thuis is, maar na haar ervaring van een paar dagen eerder, durft ze zelf ook niet goed meer. 'Alleen als het een bekende is, binnenlaten hoor. En anders mij even roepen.' Ziezo, nu speelt ze op safe!

Karen loopt de trap af, Herma hoort hoe ze de deur opendoet, dan blijft het een ogenblik stil, gevolgd door een waar gejubel.

Herma slaat de handdoek om Job heen en loopt naar de trap. Daar komt Karen al naar boven rennen. 'Mam! Tante Karin is er!' Even weet ze niet wat ze moet doen, maar dan glipt Job al langs haar heen de trap af. 'Tante Karin!' Karen is ook al weer naar beneden gelopen. 'Kom je?' roept ze over haar schouder. Even staat Herma besluiteloos op de overloop, Jobs ondergoed in haar hand, dan loopt ze langzaam achter de kinderen aan.

Beneden in de gang staat haar tweelingzus, een blote Job, die beide armen om haar hals knelt, op de arm.

'Hoi zus,' zegt Karin. Het klinkt wat onzeker.

'Hoi, wat fijn je te zien.' Herma hoort zelf dat het wat geforceerd klinkt. 'Hier Job, trek eerst eens wat aan, je zult nog kou vatten.' Ze lopen naar de kamer. 'Ga zittten,' zegt Herma tegen Karin. Even is het stil, dan gaat ze verder tegen de kinderen: 'Job, als jij nu je pyjama aan gaat trekken en jij ook Karen, sla jij het douchen maar een keertje over, dan mogen jullie nog even beneden komen en drinken we met elkaar wat voor jullie gaan slapen, oké? Maar opschieten, want over tien minuutjes gaan jullie naar bed.' De kinderen hollen naar boven, dan zitten de twee zussen onwennig tegenover elkaar.

'Hoe gaat het?' vraagt Karin.

'Ja, wel goed, en met jou? Weer in het land?'

'Tja... het seizoen zit er weer op.' Dan is het even stil. Maar daar zijn Job en Karen alweer, ze storten zich op Karin. 'Mag ik op je schoot?' vraagt Karen.

Herma kijkt zwijgend toe, dat heeft Karen in al die tijd nog nooit aan haar gevraagd.

Ze ziet hoe haar zus Karen op schoot tilt en Job naar zich toe trekt, terwijl ze al pratend tegen de kinderen met een geroutineerd gebaar zijn pyjama, die hij achterstevoren heeft aangetrokken, omdraait en weer goed aandoet. Daarna leunt hij, met z'n duim alweer in z'n mond, tegen haar knie.

Het tafereeltje geeft haar een steek van jaloezie. Het lijkt wel, of het niet haar, maar Karins kinderen zijn. Op dat moment gaat de kamerdeur open. 'Hé, wat is dat, zijn jullie nog niet...' Paul stapt binnen en midden in zijn zin blijft hij steken. 'Karin!'

Herma kijkt van Karin naar Paul. Krijgt hij nou een kleur, of lijkt dat maar zo? Opeens heeft ze het gevoel een buitenstaander te zijn, een vreemde in haar eigen huis. Een indringster in de vertrouwde sfeer tussen Paul, Karin en de twee kinderen. Ze staat op. 'Vooruit, het is tijd, naar boven!' Haar stem klinkt kortaf.

'We mochten nog wat drinken!' sputtert Karen.

'Nou, vlug dan.' Herma loopt naar de keuken en schenkt twee kleine bekertjes limonade in. Als ze de kamer weer binnenkomt, zitten Paul en Karin rustig te praten, ieder met een kind op schoot. Weer schiet de jaloezie door haar heen. Ze geeft de kinderen elk een beker in de hand. 'Vlug opdrinken en dan naar bed.'

Even later gaan ze in optocht naar boven. 'Jij kunt niet bij ons slapen, tante Karin,' zegt Job, 'want pappa slaapt in jouw bed.'

Herma ziet hoe Karin even de wenkbrauwen optrekt, of verbeeldt ze zich dat maar?

'Dat hoeft ook niet, ik ga straks weer naar mijn eigen huis in Amsterdam. Jullie moeten maar gauw een keertje bij mij komen logeren als jullie weer vakantie hebben, goed?'

'Jaaa!' Job staat te springen op z'n bed. Maar dan grijpt Paul in. 'Zo, nou geven jullie mamma en tante Karin een dikke kus, dan gaan zij naar beneden en dan ga ik jullie voorlezen.' Zijn stem klinkt onverbiddelijk en Job en Karen weten dat hij het echt meent. Ze omhelzen hun tante, geven Herma een kus en laten hen dan rustig naar beneden gaan.

Achter elkaar lopen Herma en Karin de trap af. Als ze beneden zijn, gaat Herma gelijk door naar de keuken. 'Ik zal koffie zetten,' mompelt ze. Maar Karin komt achter haar aan lopen.

'Herma, laten we niet doen alsof er niets gebeurd is. Ik wil je zeggen dat het me zo vreselijk spijt. Als ik niet te hard gereden had vorig jaar, was dat ongeluk nooit gebeurd. Het was mijn schuld en dat zal ik mijn leven lang niet vergeten. Denk je dat je me ooit kunt vergeven?'

Herma voelt zich ongemakkelijk. Ze haalt haar schouders op. 'Ja, natuurlijk,' zegt ze dan, 'ik kan me er helemaal niks meer van herinneren. En ik begrijp dat je het rot vindt, maar het was tenslotte een ongeluk, daar vraagt niemand om. Het schijnt dat ik ook weleens te hard reed vroeger. Laten we het maar vergeten. Ik neem het je in elk geval niet kwalijk.'

'Dankjewel!'

'Jij ook bedankt voor het verzorgen van mijn kinderen, zo te zien zijn ze dol op je.' Haar stem klinkt koud en ze hoort het zelf. Karin kijkt haar een beetje bevreemd aan. 'Graag gedaan,' zegt ze dan, 'het was niet meer dan mijn plicht na wat ik had aangericht en ik deed het met liefde. Je hebt een leuk gezin, Herma.'

Herma knikt, ze houdt nog net een scherpe opmerking binnen. Dan komt ook Paul naar beneden en met z'n drieën zitten ze nog een poosje te praten. Karin vertelt over haar werk in het buitenland en vraagt dingen over de kinderen. Af en toe merkt Herma dat Paul en Karin grapjes hebben met elkaar, die zij niet zo snel snapt, of ze halen een herinnering op aan de tijd dat Karin voor hem en de kinderen zorgde. Het irriteert haar en ze betrapt zich erop dat ze steeds argwanend van de een naar de ander kijkt. Konden ze vroeger ook zo goed met elkaar opschieten? Dat weet ze natuurlijk niet. Steeds weer heeft ze het gevoel dat er een wel heel goede band bestaat tussen haar man en haar zus. En hoewel ze in Paul nog steeds niet haar echtgenoot kan zien, merkt ze toch dat dit haar jaloers maakt. Waarom is Paul eigenlijk met haar getrouwd en niet met Karin? Ze wordt steeds stiller en ze is echt opgelucht als Karin opstaat om naar huis te gaan.

'Komen jullie gauw eens met z'n allen naar Amsterdam?' vraagt ze bij het weggaan.

'Dat doen we zeker!' Paul zoent z'n schoonzusje hartelijk op beide wangen. Herma knikt maar wat, kust haar zusje ook, maar laat het aan Paul over om haar uit te laten. Ze hoort ze vanuit de kamer nog even praten en lachen bij de voordeur. Voordat Paul weer binnenkomt, heeft ze de kopjes al in de keuken gezet en is ze de trap opgegaan naar boven. In de badkamer poetst ze haar tanden, ze kijkt in de spiegel. Wordt het tijd dat ze Paul weer gaat toelaten in haar leven en ook in haar slaapkamer? Kan ze dat? Al is het maar heel stil in zijn armen liggen? Opeens is ze vanavond bang geworden om hem te verliezen. Kan ze zich aan hem overgeven, het gewoon maar proberen samen? Ze luistert naar de geluiden die van beneden komen. Wat zal ze doen als hij zo naar boven komt?

Langzaam gaat ze naar haar slaapkamer, stapt in bed. De deur laat ze open staan, maar Paul komt niet naar boven.

Die nacht droomt ze over Harry.

Een paar weken later stelt Paul op een zaterdagochtend voor om Karin op te bellen en als het haar uitkomt, 's middags een poosje naar Amsterdam te gaan. De kinderen beginnen gelijk te juichen, maar Herma's gezicht betrekt.

'Heb je er geen zin in?' vraagt Paul.

'Nee, ik ben moe, maar nu kan ik natuurlijk geen nee meer zeggen, ik wou dat je het eerst met mij had besproken,' zegt ze met een blik naar de kinderen. Die zijn stil geworden. 'Wil je niet, mamma?' vraagt Job.

'Bel dan maar,' zegt ze. 'Wat wil je er eigenlijk gaan doen?'

'Gaan doen? Het is je zus, Herma, het is toch leuk om elkaar af en toe te zien? Trouwens, over een maand of drie trouwen Jasper en Marleen, misschien kunnen we alvast eens brainstormen met elkaar of we iets doen op de bruiloft.'

'Mij best, bel maar.'

'Wil jij niet bellen?'

'Nee hoor, het is jouw idee.'

Het lijkt of Paul nog iets wil zeggen, dan schudt hij even het hoofd en pakt de telefoon. Job en Karen proberen het gesprek te volgen en algauw begrijpen ze dat de plannen doorgaan. Herma ziet hoe blij ze zijn en opnieuw voelt ze een steek van jaloezie door zich heen gaan.

Paul praat nog even, dan legt hij de telefoon neer. 'Ze verwacht ons, leuk?' Hij pakt even Herma's hand, ze trekt hem niet terug. Hij geeft er een kneepje in en laat dan los. 'Ik stel voor, dat we zo een boterhammetje eten en dan weggaan. Tante Karin zei dat we zo snel we konden mogen komen. En vanavond blijven we bij haar eten, als jullie dat tenminste willen.'

Karen en Job zijn door het dolle heen. Herma begrijpt het niet, ze vindt hun reactie overdreven. Het geeft haar het gevoel dat ze hun moeder om zich heen dulden, maar liever bij Karin zijn. Hoe komt dat? Doordat ze zo weinig van ze kan hebben, zo snel ongeduldig en moe is? En de reactie van Paul staat haar ook niet aan, hij kijkt als een kleine jongen die op schoolreisje mag.

Een halfuurtje later zitten ze in de auto en rijden richting Amsterdam. De kinderen zijn druk, maar het gaat langs Herma heen. Ze zit na te denken. Toen Karin een paar weken geleden bij hen was en ze zag hoe vlot haar zus met Paul omging, was ze opeens geschrokken. Het leek of opeens haar ogen opengingen en ze weer zag dat Paul eigenlijk een heel leuke, aantrekkelijke man is. Ze had zich voorgenomen om te proberen weer wat dichter bij hem te komen. Hem niet af te stoten als hij haar zou aanraken, maar juist te laten merken dat ze langzamerhand weer openstaat voor zijn toenadering. Maar het vreemde was dat het leek of er ook bij Paul iets was veranderd sinds die avond. Hij was nog steeds lief en geduldig voor haar, maar hij deed geen enkele poging meer om lichamelijk contact te zoeken. En zelf durft ze de eerste stap niet te zetten. Waarom niet? Ze weet het niet, misschien is ze bang dat ze niet kan waarmaken wat ze dan lijkt te beloven. Want nog steeds spookt het beeld van Harry door haar hoofd. Ze zucht, wat is het toch ingewikkeld allemaal.

'Gaat het?' Paul kijkt even van opzij naar haar. Maar hij legt geen hand op haar knie, zoals hij tot voor kort weleens even deed.

'Ja, hoor.' Ze probeert te glimlachen.

Job begint achter in de auto te zeuren dat hij moet plassen. 'Nog even geduld,' zegt Paul, 'dan zijn we bij tante Karin.'

Wat klinkt zijn stem blij, of verbeeldt ze zich dat maar?

16

Het is bijna Kerst. Paul rijdt naar huis. Hij is bij een boer in de Oude Leede geweest die een zieke koe heeft. Het is wat later geworden dan hij gedacht had en terwijl hij naar huis rijdt vraagt hij zich af wat hij daar zal aantreffen. Herma blijft zo onvoorspelbaar. De ene keer is ze opgewekt en heeft hij het gevoel dat hij langzaam maar zeker de oude Herma weer terugkrijgt, de andere keer kan ze opvliegen over de kleinste dingen, is ze boos en ongeduldig tegen de kinderen en tegen hem. Hij probeert steeds weer begrip op te brengen. Hij weet, ook door gesprekken die ze samen met Herma's psycholoog hebben gehad, dat het een stukje onmacht van haar is, een stuk frustratie. Maar soms is hij het zo moe allemaal, dat het hem moeite kost om opgewekt te blijven. En hij weet dat juist dat belangrijk is, niet in de laatste plaats voor de kinderen. Tja, die kinderen... hij zucht als hij aan ze denkt. Karen is veel te wijs voor haar leeftijd, misschien ook wel te eigenwijs. Ze gaat gewoon haar eigen gang, soms probeert ze haar moeder te helpen maar vaker trekt ze zich terug in haar eigen wereldje. Ze moedert over Job, het aanhankelijke ventje dat snakt naar aandacht en liefde. Hij merkt wel dat Herma over het algemeen tijd voor de kinderen wil maken, maar ze is zo wispelturig: zo is ze geduldig met ze bezig en zo is ze opeens boos en laat ze hen aan hun lot over. Tussen Job en haar gaat het nog het beste. Maar met Karen... Zelf is hij te weinig thuis om dat allemaal te kunnen opvangen.

Hij merkt dat hij, zoals nu, eigenlijk met tegenzin naar huis rijdt. Hij is zo moe van alles. Ook slaapt hij nog steeds in het logeerbed. Nadat hij in het begin, toen Herma net thuis was, weleens probeerde haar aan te halen door een arm even om haar heen te slaan, maar hij voelde hoe ze verstijfde onder zijn aanraking, heeft hij zich voorgenomen dat niet meer te doen. Het initiatief zal van haar moeten komen, dat heeft hij haar trouwens ook duidelijk gezegd. *Je krijgt alle tijd die je nodig hebt, het ligt bij jou.* En daar wil hij zich ook aan houden, hoe moeilijk het soms ook is. Zeker sinds Karin weer in de buurt is. Ze zien elkaar niet zo heel vaak, maar als ze komt, voelt hij steeds weer die spanning die er het afgelopen voorjaar tussen hen was. Sinds die zaterdagmiddag dat ze bij Karin in Amsterdam waren, hebben ze elkaar nog één keer gezien. Dat was met de verjaardag van de zussen. Op uitnodiging van zijn schoonouders waren ze allemaal het weekend naar Drenthe geweest, waar de beide verjaardagen gevierd zijn.

Tussen Herma en Karin botert het ook niet echt. Hij weet niet hoe dat komt. Herma heeft echt geen wrokgevoelens over het ongeluk naar haar tweelingzus, daarvan is hij overtuigd. Toch lijkt het haar niet te boeien of ze elkaar wel of niet zien. Onbegrijpelijk vindt hij dat, als je bedenkt hoe dol ze vroeger op haar zus was.

Hij zucht. Ach, op wie is Herma eigenlijk nog wel echt gesteld? Ze lijkt zo op te gaan in haar eigen wereldje, er lijkt geen ruimte te zijn voor iemand anders.

Ze gaat inmiddels wel weer af en toe mee naar de kerk. Hij is er natuurlijk blij om, maar een gesprek over het geloof of een beluisterde preek hebben ze niet. Ze is daar ook heel eerlijk in.

'Ik ga mee voor jou en de kinderen,' zegt ze. 'Maar ik heb er echt niks aan. Ik vind het moeilijk me te concentreren en ik voel er eerlijk gezegd niks bij.'

Hij is ervan geschrokken, maar waardeert tegelijk haar eerlijkheid en het feit dat ze toch meegaat.

Even later rijdt hij de auto het pad op, hij is thuis. Als hij door de achterdeur binnenkomt, ziet hij Herma bij de tafel zitten, ze bladert in een fotoalbum. Job zit op de bank, z'n konijn dicht tegen zich aan, hij kijkt naar de televisie.

'Ha meisje, waar is Karen?' Hij bukt zich en geeft Herma een vluchtige kus op de wang.

'Hè!' Verschrikt kijkt ze op. 'Wat ben je vroeg! Ze speelt bij Tabitha, ik moet haar nog ophalen.'

'Vroeg? Het is zes uur geweest. Hoe laat zou je ze ophalen dan?'

'Vijf uur. Ik ben het vergeten.'

Op hetzelfde moment gaat de telefoon. Paul neemt op en noemt zijn naam. Het is Tabitha, die vraagt of alles wel goed is.

'Ja,' zegt Paul een beetje kortaf, 'Herma was de tijd vergeten, ik kom haar meteen halen.'

'Gertjan brengt haar wel even, geen probleem.' Als Paul heeft neergelegd, zegt hij: 'Gertjan komt haar brengen. Wat eten we, kan ik wat doen?'

'Ik bak wel patat, goed?' zegt Herma met een schuldige blik. Ze staat op en gaat naar de keuken, gevolgd door Job, die opgeveerd is bij het woord 'patat'.

Paul blijft achter in de kamer. Hij gaat op de stoel zitten waarop Herma zo-even nog zat en kijkt naar het album dat voor hem ligt. Foto's van een zeventienjarige Herma, samen met haar vriendje Harry. Deze bladzijde heeft hij al veel te vaak opengeslagen zien liggen.

Met een klap doet hij het album dicht. Soms is hij het even helemaal zat, zijn vrouw zit te dromen boven een foto van een jongen van een jaar of twintig!

Dan stopt er een auto voor de deur en komt Karen binnenstormen. Ze is boos. 'Ik vind het stom, mamma, je kwam me maar niet halen! Tante Tabitha ging al eten koken en je was er nog niet.' Pas als ze ziet dat de frituurpan aanstaat, kalmeert ze een beetje.

Paul is vrij met Kerst. 'Komen jullie nog hiernaartoe?' vraagt Herma's moeder, als ze de week voor de feestdagen belt.

'Als je het niet erg vindt, blijf ik liever thuis,' zegt Herma. 'Het is gauw allemaal zo druk en dat wordt me al snel te veel.'

'Wat je wilt, misschien kunnen jullie een dag komen? Heb het er maar met Paul over, dan hoor ik het wel.'

Een uurtje later belt haar schoonmoeder met dezelfde vraag en weer wimpelt Herma de uitnodiging af. 'Een andere keer misschien, dit jaar maar niet.'

Ze zegt niks tegen Paul, maar een paar dagen later begint hij zelf over de feestdagen. 'Wat denk je, zullen we nog naar jouw of mijn ouders gaan met de Kerst?'

'Liever niet. Bij jou thuis is het helemaal zo'n drukte als de anderen ook komen en ook bij mijn ouders komt er meestal nog wel de een of ander aanwaaien. Dat kost me zoveel energie.'

'Wat je wilt, hoewel het natuurlijk ook voor Job en Karen wel leuk zou zijn de familie weer eens te zien. Het verbaast me eigenlijk, dat ze nog niet gebeld hebben.'

'Ze hebben wel gebeld, maar ik heb gelijk gezegd dat we liever thuisblijven.'

'Had je dat niet even kunnen overleggen met me?'

Ze haalt haar schouders op. 'Sorry, ik ben het vergeten. Als je per se wilt, gaan we wel.'

'Daar gaat het niet om, ik vind het alleen prettig als je zoiets even met me bespreekt voor je nee zegt.' Zijn stem klinkt geïrriteerd. Hij loopt de kamer uit, even later steekt hij z'n hoofd om de hoek van de kamerdeur. 'Ik ben nog even naar de praktijk, hoor.' Zonder antwoord af te wachten trekt hij de deur achter zich dicht en even later hoort ze hem wegrijden. Ze blijft stil in de kamer zitten en als hij na een uur nog niet terug is, gaat ze naar boven. Ze kleedt zich uit en gaat naar bed. Maar ze ligt nog lang wakker. Wat is er overgebleven van haar huwelijk, haar gezin? Het gelukkige gezinnetje van de foto's uit het album? Of heeft dat nooit bestaan, hebben ze elkaar altijd al min of meer geïrriteerd? Zijn ze niet veel te jong getrouwd? Ze kan zich met de beste wil van de wereld niet voorstellen dat ze een huwelijks- en gezinsleven heeft gehad zoals zij zich herinnert van haar ouders.

Het duurt lang voor ze Paul hoort thuiskomen. Waar is hij al die tijd geweest, alleen maar naar de praktijk? Of is er een andere vrouw in het spel, is hij het zat om op een afstand gehouden te worden? Ze begrijpt zichzelf daarin niet. Aan de ene kant verlangt ze steeds meer naar hem, voelt ze dat ze weer verliefd op hem aan het worden is. Aan de andere kant is ze bang daaraan toe te geven. In haar herinnering is ze met een jongen of een man nooit verder gegaan dan een kus, eigenlijk alleen met Harry. Maar als ze zich aan Paul overgeeft, zal hij haar dan de tijd willen en kunnen geven om hun liefdesleven weer langzaam op te bouwen? Soms ziet ze de hartstocht in zijn blik, dan schrikt ze. Het is zo verwarrend als ze bedenkt dat ze een seksuele relatie met hem gehad moet hebben, terwijl ze zich daarbij niet echt iets kan voorstellen. Ze kan er niet met hem over praten, ze durft het niet. Zeker nu hij de laatste tijd dikwijls zo kortaf en ongeduldig tegen haar is. De vraag begint zich steeds meer op te dringen of hij haar überhaupt nog wil? Heeft ze hem te lang laten wachten? En welke rol speelt haar zus in dit geheel? Is Paul niet veranderd, sinds Karin deze herfst opeens bij hen voor de deur stond? Ze heeft grote moeite om aardig te zijn tegen Karin, het maakt haar onzeker dat ze veel dingen niet meer weet. Paul heeft verteld dat Karin en zij onenigheid hadden toen ze samen in de auto zaten en het ongeluk gebeurde. Maar waarover ze ruzie hadden? Dat heeft nooit iemand haar verteld, dat blijft altijd een beetje vaag.

Voor zover haar geheugen teruggaat waren ze juist de beste maatjes, dus wat is er die laatste jaren veranderd? Heeft het iets met Paul te maken? Of is er iets gebeurd tussen die twee, toen zijzelf in het ziekenhuis lag en Karin hier in huis was? Daarover heeft ze ook geen goed gevoel, al weet ze niet waarom.

Het zijn allemaal vragen, waarop ze geen antwoord weet en ze weet ook niet met wie ze er over zou kunnen praten. Ze kan er soms wanhopig van worden, dat almaar denken over wie ze nu eigenlijk is, of beter gezegd: wie ze was voor het ongeluk.

Ze draait zich om en om in het grote bed. Veel later hoort ze

Paul de trap opkomen, de deur van zijn slaapkamer gaat dicht. Eindelijk valt ze in slaap.

Onverwacht lijken de kerstdagen toch gezellig te worden. Nu Paul niet hoeft te werken en dus alle aandacht aan de kinderen kan geven, is hij zelf meer ontspannen en Karen en Job ook. Herma merkt dat het ook een gunstige invloed heeft op haarzelf.

Eerste Kerstdag gaan ze met z'n allen naar de kerk, Herma geniet er zelfs bijna van, het doet haar sterk aan vroeger denken. Dan gingen ze met Kerst ook altijd met het hele gezin naar de kerstdienst. Later doen ze spelletjes met elkaar en aan het eind van de middag wordt er gegourmet. Job en Karen vinden het prachtig om zelf pannenkoekjes te bakken in de kleine pannetjes, het vlees houden ze algauw voor gezien. Het is al negen uur geweest als de kinderen eindelijk slapen en in de keuken alles is opgeruimd. Paul heeft een mooie cd opgezet en Herma zet koffie. Als ze met twee mokken de kamer binnenkomt en ze Paul zo rustig op de bank ziet zitten slaat er een golf van liefde door haar heen. Het verrast haarzelf. Ze zet de bekers neer en gaat naast hem op de bank zitten.

'Lekker, dank je. Het was leuk hè, zo met de kinderen. Ze worden groot, vind je niet?'

Herma knikt. 'Ja, ze waren ook echt lief, ik bedoel: helemaal geen geruzie en gezeur tegen elkaar.'

'Een heel verschil met vorig jaar, meisje,' zegt Paul zacht. 'We hadden niet gedacht dat we deze Kerst weer bij elkaar zouden zijn.'

'Gek hè, dat ik daar niks meer vanaf weet. Ik vind dat vaak zo moeilijk Paul. Ook die jaren die ik kwijt ben, dat geeft vaak zo'n raar gevoel. Net of die verhalen en foto's van voor die tijd over iemand anders gaan.'

'Dat begrijp ik best, we zullen ook moeten accepteren dat sommige dingen nooit meer hetzelfde worden. Maar dat geeft toch niet, we moeten proberen een nieuwe start te maken in ons leven en dat zal misschien op een heel andere manier zijn.'

Herma kijkt tersluiks van opzij naar Paul. Wat bedoelt hij nou precies? Een heel andere manier? Een nieuwe start... Hij bedoelt toch niet... zonder elkaar? Ze durft het niet te vragen. Moet ze... wil hij?

Paul onderbreekt haar gedachten: 'Zullen we Karin met Oud en Nieuw vragen? Lijkt me echt gezellig, wat vind jij?'

Ze schrikt, waarom begint hij nu opeens over Karin? Bedoelt hij dat met een nieuwe start? Karin? Opeens wordt ze echt bang dat Pauls geduld op is, dat er inderdaad meer is of is geweest tussen hem en haar zus in de tijd dat ze ziek was en Karin hier in huis was. En ze weet opeens heel zeker dat ze hem niet wil kwijtraken. Niet aan haar zus en aan niemand anders. Opnieuw voelt ze een golf liefde door zich heengaan. Ze houdt van hem, ja, ze houdt van hem! Ze wordt er helemaal blij van, ze moet het hem zeggen, maar hoe?

Dan flapt ze het er zo maar uit: 'Paul, ik denk dat ik bijna wel weer zover ben dat ik, dat jij en ik...' Ze voelt hoe ze begint te trillen.

Hij pakt even haar hand, geeft er een kneepje in terwijl hij zegt: 'Rustig aan maar hoor, ik heb toch gezegd dat ik geduld heb. Ik ben al zo blij dat het allemaal al beter gaat. Ik wil je echt niet overhaasten.' Dan staat hij op en loopt naar de keuken. 'Ik ga zo een flesje wijn opentrekken, de koffie is koud geworden en het is onderhand wel borreltijd.'

Herma blijft stil op de bank zitten. Het is haar wel duidelijk: Paul voelt niets voor haar toenaderingspogingen. Nou, dan toch niet! Ze zet de tv aan en zoekt de zender waar een leuke romantische kerstfilm bezig is. Ze snapt niks van het verhaal, de film is al half bezig en kon ze vroeger moeiteloos de draad bij zoiets oppakken, dat lukt haar nu echt niet meer. Ze staart naar het beeld zonder te weten wat er echt aan de hand is met de vrouw in het ingesneeuwde huis. Ze kan niet eens huilen.

Paul staat in de keuken, hij leunt tegen het aanrecht. Hij is moe, o, wat is hij moe van alles!

Even dacht hij dat er een kleine toenadering was van Herma's kant, toen ze zei dat ze dacht bijna weer zover te zijn om zijn vrouw te zijn. Tenminste, hij dacht dat ze dat wilde gaan zeggen. Maar toen hij vervolgens naar haar keek en zag hoe ze trilde en hem gewoon doodsbang aankeek, wist hij wel weer genoeg. Waarom zei ze dat dan? Hij denkt terug aan het gesprek. Het was haar reactie toen hij over Karin begon. Is ze bang dat haar zus een bedreiging voor haar is, doet ze daarom ook steeds zo onverschillig tegenover Karin? Terwijl hij daar zo over nadenkt, lijkt hem dat steeds aannemelijker. Natuurlijk, dat is het! En daarom biedt ze, als laatste redmiddel, zichzelf maar aan? Nou, daar past hij voor! Hij wil dat ze bij hem komt omdat ze weer naar hem verlangt, van hem houdt. En niet omdat ze bang is dat haar zus hem wellicht zal inpikken. Hij lacht grimmig in zichzelf. Het idee, alsof hij zoiets zou doen!

Ja? Is dat wel zo'n onvoorstelbaar idee? Karin? Boos pakt hij een fles wijn uit de kast, pakt de kurkentrekker en trekt de fles open. Natuurlijk wil hij niks met Karin! Toch?

Hoe verzint Herma het! Ze kan beter op zichzelf letten, ze zit niet voor niets steeds met dat oude fotoboek open, waar die jongen, die Harry, op een foto staat. Bah, wat een puinhoop is hun leven toch geworden. Zal het zo verder gaan tot ze oud zijn, tot de kinderen volwassen zijn en de deur uit gaan? Tot ze ten slotte samen overblijven als twee vreemden in hetzelfde huis? Hij moet er toch niet aan denken! Hij wil alles voor haar doen, haar helpen, de kinderen opvangen, de taken in huis op zich nemen, van alles. Als ze alleen maar van hem zou houden, hem liefde zou willen geven. Dan kan hij alles aan. Maar zo? Nee, zo houdt hij het niet lang meer vol, dat voelt hij en weet hij. Hij wil het ook eigenlijk niet!

Voor haar te zorgen en lief te hebben tot de dood jullie scheidt…

Waarom komen opeens die woorden in zijn hoofd? Zijn het woorden uit het trouwformulier? Ja, dat zal wel. Maar als de liefde dood is, ben je dan ook niet ontslagen van die belofte? Alles kan toch niet van één kant komen? Als je vrouw je geen kans geeft om haar lief te hebben, zich van je afkeert alsof je een eng dier bent? Begint te trillen als je haar aankijkt?

Hij schenkt wijn in twee glazen, veel te wild, het gulpt over de rand van het glas. Het brengt hem tot zichzelf. Met een doekje veegt hij de gemorste wijn op en droogt de voet van het glas. Met in iedere hand een glas loopt hij voorzichtig naar de kamer, met z'n voet duwt hij de deur open. Als hij haar zo verloren ziet zitten in een hoekje van de bank, stroomt z'n hart toch weer over van medelijden. Het is natuurlijk ook allemaal vreselijk moeilijk voor haar, waarschijnlijk veel en veel moeilijker dan hij zich maar in de verste verte kan voorstellen.

'Alsjeblieft,' hij zet een glas voor haar neer. Ze knikt even naar hem, kijkt dan weer naar het scherm.

Hij gaat op een andere stoel zitten en pakt een boek. Maar in plaats van te lezen probeert hij zich voor het eerst echt in te denken hoe het moet zijn om zo'n vijftien jaar van je leven kwijt te zijn. Hij is nu vijfendertig, stel dat hij alles vanaf zijn twintigste kwijt zou zijn. Nee, dat is gewoon niet voor te stellen, niet echt!

Toen hij twintig was, waar was hij toen mee bezig, wat vond hij belangrijk? Hij was net aan z'n studie begonnen, Herma kende hij nog niet, hij had weleens een vriendinnetje, maar dat stelde niet zo veel voor. Hij weet dat nog wel natuurlijk, maar de dingen die daarna kwamen, zijn huwelijk met Herma, z'n baan, de geboorte van de kinderen, dat zijn allemaal dingen die gewoon niet weg te denken zijn.

Is het een wonder dat Herma zo in de war is? En dan is dat ontbrekende stuk natuurlijk nog lang niet alles. Ze loopt ook voortdurend tegen andere dingen aan zoals haar slechte concentratie, haar korte termijngeheugen dat haar regelmatig in de steek laat, de hoofdpijn die onmiddellijk komt opzetten als er veel drukte om haar heen is.

Ja, als hij al die dingen bedenkt, heeft hij alleen maar medelijden met haar. Maar is dat genoeg voor hem om het aan te kunnen? Is het raar dat hij naar liefde en warmte verlangt? Is het vreemd dat hij begeerte voelt als hij Karin ziet of aan haar denkt? Karin, die zo veel lijkt op de Herma op wie hij verliefd is geworden? En die nog wel vrolijk en hartelijk is?

Hij zucht, en vanbinnen stijgt voor de zoveelste keer het gebed op, dat hij de laatste tijd al zo vaak gebeden heeft: 'Heer, help me toch om sterk te zijn. Om Herma liefde te geven en niet naar Karin te verlangen.' Maar soms weet hij niet eens meer of hij dat laatste echt wel wil loslaten, het zoete verlangen naar haar lichaam troost hem, al is het ook een bittere troost.

Herma staat op. 'Ik ga naar bed,' zegt ze, 'welterusten.'

Ze gaat de kamer uit, zacht gaat de deur achter haar dicht.

Paul zit nog lang op z'n stoel, worstelend met zijn gevoelens en gedachten.

Tweede Kerstdag is de sfeer weer zoals steeds, de ontspannenning van de vorige dag is verdwenen. De kinderen vervelen zich en zijn moe, omdat ze de avond ervoor eigenlijk te laat naar bed zijn gegaan. Om twee uur gaat de telefoon. Herma neemt op.

'Hoi, met Tabitha, hebben jullie iets te doen vanmiddag?'

'Nee, niet echt, hoezo?'

'We bedachten net dat het misschien wel leuk is om naar het strand te rijden en allemaal even uit te waaien. Dus als jullie zin hebben om mee te gaan?'

'Ik zal het even aan Paul vragen.' Als ze het voorstel doorgeeft aan Paul, vindt ook hij het een goed idee en Karen en Job vinden het helemaal prachtig. Met dikke jassen en laarzen aan stappen ze even later al in de auto en rijden ze naar Gertjan en Tabitha. Daar vandaan gaat het richting Scheveningen. Ze merken al snel dat ze niet de enige mensen zijn die dit idee hadden voor deze

Tweede Kerstdag. Herma geniet ervan. 'Ik ben nooit anders dan alleen maar in de zomer op het strand geweest, dit heeft toch ook wel wat,' zegt ze tegen Tabitha die naast haar loopt.

Die lacht een beetje en zegt: 'We hebben dit wel vaker gedaan in de winter, hoor, maar dat ben je een beetje kwijt.' En als ze ziet dat Herma's gezicht alweer betrekt, gaat ze verder: 'Soms heeft dat ook z'n voordelen, moet je maar denken. De dingen die voor mij soms heel gewoon zijn, zijn voor jou weer nieuw. Dus opnieuw ontdekken en dat is toch best leuk? Probeer het ook eens positief te zien, joh, en geniet er gewoon van.'

Even loopt Herma zwijgend naast haar, dan zegt ze: 'Ja, zo heb ik het eigenlijk nog nooit bekeken. Er zit wel wat in, maar meestal vind ik het alleen maar afschuwelijk, dat ik niks meer weet. Neem nou onze vriendschap: alle herinneringen die ik wel op de foto's terugvindt ben ik kwijt. Dat is toch helemaal niet fijn? Nee, dan kan ik er toch weinig positiefs in zien hoor.'

Stil lopen ze weer door, de mannen lopen druk pratend een stuk voor ze uit en de kinderen rennen met elkaar om hen heen.

'Fijn?' vraagt Tabitha na een poosje.

Herma knikt. 'Ja, hé Tabitha, mag ik je wat vragen, wat... Wat denk jij van Paul en mij?'

'Van Paul en jou? In welk opzicht, hoe bedoel je dat precies?'

'Ons huwelijk, hoe we met elkaar omgaan.'

'Tja, dat vind ik moeilijk, ik zie jullie weinig echt samen. Waarom vraag je dat? Gaat het niet goed?'

'We... we slapen nog steeds apart, wist je dat?' Schuin kijkt Herma van opzij naar haar vriendin.

Even aarzelt Tabitha, maar dan zegt ze eerlijk: 'Ja, dat hoorde ik pas van Karen.'

'Loopt ze dat rond te vertellen? Wat erg, ik schaam me echt wild!'

'Nou, dat rondvertellen zal wel meevallen hoor. Maar ze komt tenslotte vaak bij ons en ze vertelde het eigenlijk heel terloops, ze vindt het volgens mij helemaal niet raar of zo.'

'Nee, het is voor de kinderen al heel gewoon, ze weten niet beter.' Herma's stem klinkt bitter.

'Je begint er zelf over, dus ik neem aan dat je erover wilt praten, daarom durf ik je te vragen: waarom is dat zo? Gaat dat van jou uit of van Paul?' En als Tabitha merkt dat Herma aarzelt met haar antwoord, gaat ze meteen verder: 'Je hoeft er niet over te praten hoor, alleen als jij er behoefte aan hebt.'

Herma kijkt in de verte, Paul en Gertjan dollen met de kinderen. Ze tillen ze om de beurt hoog op en doen alsof ze hen in de zee willen gooien. Hoewel ze een behoorlijk stuk verderop lopen en de harde wind de andere kant op is, kan ze Job hier horen gillen. Maar zodra Paul hem heeft neergezet, springt de kleine jongen weer om zijn vader heen, de armen omhoog gestoken.

Tabitha ziet het ook, ze schiet in de lach. 'Eng en leuk tegelijk,' zegt ze. 'Je wilt eigenlijk graag, maar toch durf je niet. Is dat ook zo met jouw gevoelens voor Paul?'

Herma blijft abrupt staan. 'Hoe kom je daar zo op?'

'Ik zie toch hoe je naar hem kijkt? Verlangend en bang tegelijk, klopt dat een beetje?'

'Ik geloof het wel. Maar ik ben geen kleine Job, die gewoon met z'n armen in de hoogte voor hem gaat staan, zo van: hier ben ik.'

'Waarom niet?'

'Waarom niet? Ten eerste zei je dat zelf al: ik ben bang. Bang omdat ik niet weet of ik het echt kan, me overgeven aan Paul. En ten tweede: ik weet niet meer zo zeker of Paul nog op me zit te wachten.'

'Dat laatste is natuurlijk onzin. Hij mist al ruim een jaar zijn vrouw, natuurlijk is hij blij als jij je weer helemaal aan hem kunt geven. En dan bedoel ik echt niet alleen op seksueel gebied. Misschien mist hij nog wel veel harder z'n maatje, de vrouw die hem vertrouwt en toelaat in haar leven.'

Weer blijft het even stil, ze lopen weer verder, dan zegt Herma zacht: 'Ik ben bang dat hij niet meer van me houdt, dat er iemand anders is.'

'Wat zeg je?' Nu blijft Tabitha staan, ze denkt dat ze het niet goed verstaan heeft door de harde wind.

'Je hoorde me wel, ik heb echt goede redenen om dat te denken Tabitha. Sorry, ik kan daar niet verder over praten. Ik had steeds al een vermoeden, maar gisteravond werd dat vermoeden opeens heel sterk bevestigd.'

Als ze weer langzaam verder lopen, zegt Tabitha: 'Toch kan ik me dat echt niet voorstellen, Herma. Paul is volgens mij heel integer en hij neemt ook zijn geloof zo serieus, dat daar gewoon geen ruimte voor kan zijn. Zelfs al zou hij zich door de omstandigheden, die natuurlijk ook voor hem heel moeilijk zijn, aangetrokken voelen tot iemand anders, dan nog zou hij daar niet aan toe geven. Heus, dat kan ik echt niet geloven!'

'Alsof dat geloof een bescherming zou zijn voor alles. Waarom kreeg ik dan dat ongeluk? Waarom ben ik dan datzelfde geloof, dat ik blijkbaar ook had, helemaal kwijt? Waarom gaat het dan nu nog steeds zo beroerd in ons gezin? Als bidden zou helpen, dan zou het toch allang weer veel beter moeten gaan? Nee sorry, dat gaat er bij mij niet in. En Paul? Ja, hij gaat naar de kerk en hij bidt, maar hij is toch ook maar een mens? Ik heb hem te lang op afstand gehouden denk ik, ik... ik kon het gewoon niet eerder. Hij voelde als een vreemde voor me. En met een vreemde man, hoe aardig hij ook is, ga je toch niet gelijk naar bed? En nu is het dus te laat.'

'Maar Herma, deze dingen kun je toch ook tegen hem uitspreken? Of, als je dat moeilijk vindt, doe het dan anders. Haal morgen het logeerbed af en leg zijn kussen weer in het grote bed. Die hint zal hij zeker begrijpen! Maak het jezelf toch niet zo moeilijk!'

'Je begrijpt het niet! Dat gaat me allemaal te snel. We hebben... nou... nog niet eens gezoend met elkaar. Ja, een kusje op m'n wang, dat is alles. En ik ben bang dat als ik aangeef hem weer als mijn man te zien, dat hij dan weer gelijk... alles tegelijk wil. Of me afwijst. En allebei die dingen maken me bang.'

Tabitha schudt het hoofd en slaat een arm om de schouder van haar vriendin. 'Meid, wat een problemen maak je toch! Ja, je hoort het goed: je máákt ze volgens mij. Je weet toch hoe Paul is? Dit hele gesprek wat wij nu hebben, moet je met hem voeren. Ik weet zeker dat jullie er dan uitkomen. Want van die andere vrouw... nee, daar geloof ik niks van!'

Dan wordt hun gesprek onderbroken door Sander, de jongste van Tabitha. Hij is net iets te diep het water ingelopen en heeft z'n laarzen vol water gekregen.

'Mam, ik heb koude voeten!' moppert hij.

'Vind je het gek! Roep pappa en oom Paul maar, dan lopen we terug. Je zou kou vatten.'

Ze lopen nu tegen de wind in, van een verder gesprek komt niks meer. Als ze weer terug zijn bij de boulevard gaan ze nog even ergens naar binnen om warme chocolademelk te drinken. Sander heeft zijn laarzen en sokken uitgedaan en houdt zijn blote voeten dicht bij de verwarming. Maar hij blijft bibberen.

'Kom, we gaan gauw naar huis,' zegt Tabitha. 'Dan neem je lekker een warm bad. Hebben jullie soms ook zin om met ons mee te gaan?' vraagt ze aan Paul en Herma. 'Gertjan zou pannenkoeken bakken, dan eten we gezellig met z'n allen.'

Zo staan Gertjan en Paul een uurtje later samen in de keuken en bakken een grote stapel pannenkoeken. Sander is in bad geweest en heeft warme sokken en pantoffels aan. Tabitha heeft de open haard aangestoken en leest een verhaal voor aan de kinderen.

Herma zit erbij, maar het verhaal gaat langs haar heen. Ze staart in het knappende hout en denkt na over het gesprek dat ze met Tabitha had. Ze zucht zachtjes, was het maar zo simpel als haar vriendin dacht. Als dat met Karin er maar niet was. En daar kan ze niet over praten, zelfs niet met Tabitha.

16

Met Oud en Nieuw heeft Paul dienst. Gelukkig blijft het 's nachts rustig en op Nieuwjaarsdag wordt hij twee keer gebeld. De eerste melding betreft een paard in een manege, dat last lijkt te hebben van koliek. Hoewel Herma in geen jaren meer gereden heeft, houdt ze nog altijd een zwak voor paarden. De tijd dat ze regelmatig bij Gerdine en haar familie aan het werk was, staat haar nog duidelijk voor ogen.

'Ik zou wel mee willen,' zegt ze als Paul z'n spullen pakt en naar de deur loopt.

'Tja, dat gaat nu moeilijk, met de kinderen thuis. Maar waarom ga je binnenkort niet eens kijken bij de manege en misschien weer eens rijden? Dat verleer je volgens mij nooit. Nou, tot straks, ik hoop dat het niet te lang duurt en ik voor het eten weer terug ben.'

Herma hoort hoe hij de auto start en wegrijdt. Wat zal ze gaan doen? De kinderen zijn aan het spelen, Karen zoals zo dikwijls alleen boven op haar kamer en Job kruipt over de vloer met een politieauto, helemaal verdiept in zijn spel.

Wat moet zij nu gaan doen. Een tijdje terug heeft ze aan Paul gevraagd: 'Paul, heb ik eigenlijk hobby's?' En toen hij haar een beetje verbaasd aankeek, had ze eraan toegevoegd: 'Ik bedoel natuurlijk voor het ongeluk.'

'Ja,' antwoordde Paul, 'je was altijd wel met iets bezig. Eens kijken... gitaar spelen, je las veel en natuurlijk naaien. Bijna alle kleren voor Job en Karen maakte je zelf.'

'Echt waar?' In opperste verbazing heeft ze hem bij die laatste woorden aangekeken. 'Dat wist ik helemaal niet!'

Daar moet ze nu weer aan denken. Er is weinig overgebleven. Lezen... Tijdens haar revalidatie in Utrecht heeft ze opnieuw moeten leren lezen. Nu kan ze zich nauwelijks concentreren op een halve pagina, dan is ze de eerste alinea alweer vergeten. Ja, de kinderen een verhaaltje voorlezen, dat is het maximaal haalbare voor haar. Laat staan dat ze iets kan onthouden van de boeken die ze in de kast heeft gevonden over pedagogiek, waarvan ze nota bene een diploma heeft liggen in de lade van het dressoir. En voor gitaarspelen of het maken van kinderkleren heeft ze geen geduld en ook haar fijne motoriek is niet meer wat het was. Ze zou trouwens geen idee hebben, hoe ze dat soort dingen zou moeten aanpakken.

'Ga dan opnieuw op naailes of neem weer gitaarlessen,' heeft Paul aangedrongen. Maar ze heeft er ook geen zin in.

Dan maar weer een fotoalbum, daar lijkt ze nooit genoeg van te krijgen. Het liefst kijkt ze foto's van de tijd die ze zich nog kan herinneren. Van de vakanties samen met haar ouders, Jasper en Karin. Schoolfoto's, foto's met oma en andere familieleden. Dat voelt veilig, het zijn bekende plaatjes. Foto's van hun oude huis in Amsterdam, de vriendinnen daar, dan van het nieuwe huis in Drenthe. Ook nu is ze weer met die boeken begonnen, langzaam bladert ze verder tot ze weer bij die ene foto komt: Harry en zij, hand in hand op het strand in Zeeland. Harry... wat een goede, veilige tijd was dat.

'Mam, kijk eens.' Karen is naar beneden gekomen, haar als bruid geklede barbiepop in haar hand. 'Denk je dat tante Marleen er ook zo uitziet, als oom Jasper eerdaags met haar trouwt?'

Herma glimlacht: 'Ja, dat zou best kunnen. Ze ziet er mooi uit, die barbie!'

'Over hoeveel weken is nou het feest en mogen wij dan ook heel lang opblijven? En wie komen er nog meer, opa en oma?'

'Ja, natuurlijk. En tante Karin en nog een heleboel mensen, familie, vrienden... Ook vast mensen die wij niet kennen, familie van Marleen en zo.' Terwijl ze tegen Karen praat valt haar blik weer op het fotoalbum voor haar. Natuurlijk! Harry komt vast ook! Dat ze daar nog niet eerder aan gedacht heeft. 'Kijk,' zegt ze tegen Karen, 'deze meneer is een vriend van oom Jasper, die komt ook, denk ik.' Ze weet zelf niet waarom ze dat tegen haar dochtertje zegt. Karen kijkt dan ook nauwelijks naar de foto, wel kijkt ze haar moeder even verbaasd aan. 'Vind je dat zo leuk?' vraagt ze.

'Hoezo?'

'Je zegt het zo... zo blij.'

Herma schrikt ervan, is ze zo doorzichtig, dat een kind van zes haar doorziet? Soms is ze bijna bang voor de opmerkingsgave en het wijze gedrag van haar dochter.

'Welnee!' Nu is haar stem geïrriteerd en ook dat wordt blijkbaar weer opgemerkt door Karen.

Het kind kijkt nu met aandacht naar de foto. 'Is dat tante Karin, die naast hem staat?'

'Nee, dat ben ik. We leken wel veel op elkaar hè?'

'Ja,' zegt Karen, terwijl ze haar barbie weer oppakt en de kamer uitloopt, 'maar je kijkt op die foto zo blij, daarom dacht ik dat het tante Karin was.'

Pas als Herma de voetjes van Karen de trap op hoort gaan, dringt het goed tot haar door wat ze eigenlijk zei. *Je kijkt zo blij, daarom dacht ik dat het tante Karin was.* Dus met andere woorden... Herma staat op en loopt naar de gang. Daar hangt een grote spiegel, ze kijkt naar zichzelf. Het kind heeft gelijk: haar mond is een rechte streep en haar ogen staan somber. Zo zien anderen haar dus! Ze gaat weer terug naar de kamer en buigt zich weer over het album. Ze bestudeert haar eigen blije gezicht, naast dat van Harry. Wat was ze nog jong en onbezorgd. Ja, toen had ze nog alle reden om blij te kijken. Maar dan gaan haar gedachten weer naar wat ze tegen haar dochtertje zei: Harry komt natuurlijk ook op de bruiloft van Jasper en Marleen. Het geeft haar een opgewonden gevoel, zoals vroeger voor een verjaardag. Hoe zal het zijn om hem na al die jaren weer terug te zien?

Ze klapt het fotoboek dicht als ze Paul door de achterdeur hoort binnenkomen. 'Dat is lekker snel!' zegt ze als hij de kamer in komt.

'Het dier was al dood, ze hebben veel te laat gebeld, zonde!'
Paul laat zich op een stoel zakken. Hij kan er slecht tegen als dieren doodgaan. Dat is een kant van zijn vak, waar hij de meeste
moeite mee heeft. Maar hij zit nog maar net, of de telefoon gaat
alweer. Als hij heeft opgenomen, luistert hij even en zegt dan:
'Ik kom er zo aan.'

Hij draait zich naar Herma: 'Sorry meisje, ik ga alweer, nu
naar een ouwe geit. Het zal wel een andere zijn dan die groene,
die jij ooit had!' En weg is hij weer.

Herma achterlatend met een nieuwe vraag: hebben zij ooit een
geit gehad en dan nog wel een groene? Dat bestaat toch niet? Of
is zij nou gek?

Nijdig pakt ze maar weer een ander fotoboek. Dit begint met
foto's vanaf het begin van hun huwelijk. Ze bladert, maar een
geit vindt ze niet. Wel een foto waarop zij trots naast een auto
staat, een lelijke eend. Wacht eens, het is wel een groene. En ja,
wat staat erbij geschreven?

'Herma met haar geit.' Ze schudt het hoofd, ze baalt van dit
soort dingen!

's Avonds belt Karin. Paul heeft de telefoon opgenomen, ver-
wachtend dat het weer een patiënt zou zijn.

Herma hoort hoe verrast zijn stem klinkt als hij zegt: 'Hé
Karin! Ja, dank je en voor jou ook natuurlijk de beste wensen!
Heb je het gezellig gehad?'

....

'Ja hoor, ik had dienst, we zijn rustig thuisgebleven.'

....

'Nee, dat valt ook mee, vandaag twee kleine dingetjes, dus de
meeste tijd was ik thuis.'

....

'Ja, ik geef haar even. Kom gauw weer eens langs, echt doen,
hoor! We missen je! Daag!'

Hij geeft Herma de telefoon. 'Hier, je zus!'

'Ja, dat begrijp ik,' mompelt Herma, terwijl ze de telefoon van hem overneemt.

'Hoi Karin, met mij. Gelukkig Nieuwjaar hoor. Alles goed in Amsterdam?'

'Ja hoor, en ook voor jou en de kinderen een heel goed nieuw jaar Herma! Hoe gaat het?' Karins stem klinkt hartelijk.

'Wel goed, hoor.' Meer weet ze eigenlijk niet te zeggen. Even blijft het ook aan de andere kant stil, dan zegt Karin: 'Paul vroeg of ik binnenkort eens langskom, als jij dat ook leuk vindt, zal ik dat doen. We moeten toch ook eens over de bruiloft praten. Of we nog iets doen of zo.'

'Ja, ik vind het best. Nou, we horen het wel. Hé, tot ziens dan, hè.'

'Ja, de groeten aan Karen en Job, zeg maar dat ik ze mis.'

'Ja. Daag.'

Als ze heeft neergelegd, kijkt Paul haar vragend aan. 'Zei ze nog of ze binnenkort komt? Hebben jullie wat afgesproken?'

Herma haalt de schouders op. 'Ja, binnenkort, ze zal wel weer bellen. Was dat niet een beetje overdreven trouwens, wat je tegen haar zei: 'We missen je'?'

Zijn gezicht trekt strak. 'Ik weet niet hoe dat voor jou is, maar ja, de kinderen en ik missen haar. Ze is zo'n tijd bij ons geweest. Je mag dat weleens wat meer waarderen, Herma! Wat heb je toch tegen je zus? Als je haar nog steeds kwalijk neemt dat ze het ongeluk veroorzaakt heeft, moet je dat zeggen. Maar mijns inziens heeft ze daar al genoeg voor geboet. Niet in de laatste plaats door er maanden voor de kinderen en mij te zijn.'

Verschrikt kijkt ze naar zijn gezicht. Nou ja, dit is tenminste eerlijk! Dit zijn geen toespelingen meer, nee, dit is duidelijke taal! Hij mist haar.

Waar blijft Tabitha met haar brave praatjes over die integere man, die alleen maar op haar wacht?

'Nou, hopelijk voor jou komt ze snel!' zegt ze met een bitter lachje.

'Dat zou inderdaad leuk zijn!' zegt Paul zonder een spier te vertrekken. Dan pakt hij een krant en slaat hem open.

Half januari staat Karin op een zondagmiddag opeens onaangekondigd voor de deur.
Herma zit in een tijdschrift te bladeren en Paul doet een spelletje met Karen. Job is op de bank in slaap gevallen. Hoewel hij zichzelf veel te groot vindt voor een middagdutje, gebeurt het toch in het weekend af en toe dat hij, als hij even rustig zit, in slaap valt.
's Ochtends zijn ze samen naar de kerk geweest. Toen was het nog wel aardig weer, maar nu is het gaan regenen en van de geplande wandeling met de kinderen komt niks. Herma suft een beetje boven het blad op haar schoot, het boeit haar niet, maar ze weet niet wat ze anders moet gaan doen. Haar gedachten gaan naar de kerkdienst van die ochtend. Het is het gemakkelijkst om elke week maar weer mee te gaan. Het voorkomt kritische vragen van de kinderen en het levert haar steeds weer een blije blik van Paul op. Maar als ze daar zit, laat ze de woorden maar over zich heen komen, het raakt haar niet. Vanochtend las de dominee uit psalm 23. Voor haar wel bekende woorden, het was oma's lievelingspsalm. Hij werd dikwijls gelezen als ze vroeger bij oma was. Maar vanmorgen gleden ook die woorden weer langs haar af.
Zelfs al ga ik door een dal van diepe duisternis, ik vrees geen kwaad, want Gij zijt bij mij...
Wat moet ze daarmee? Wat heeft ze eraan? Ze is door een heel diepe duisternis gegaan, maar ze merkte er niks van dat God bij haar was. En nog steeds niet.
'Doe je ook mee, mamma?' onderbreekt Karen haar gedachten.
'Ik wil wel een spelletje doen, maar geen memorie,' zegt Herma terwijl ze langzaam opstaat en naar de tafel loopt. 'Ik onthoud er echt niet één!'

'Vind ik niet erg, hoor!' Karen lacht. 'Maar zullen we dan mens-erger-je-niet doen?'

'Dat is goed, wil jij dat ook?' Herma kijkt Paul aan. De laatste week lijkt het weer wat beter te gaan tussen hen. Paul is, hoewel wat afstandelijk, toch geduldig en vriendelijk voor haar. En zelf merkt ze, dat ze de dagelijkse dingen steeds beter aan kan. Dat heeft natuurlijk ook weer z'n uitwerking op de sfeer in huis. Ze voelt zich opgewekter dan lang het geval is geweest, alsof ze langzaam maar zeker weer in haar eigen leventje aan het groeien is.

Ze zijn net aan het eerste potje begonnen, als er gebeld wordt.

'Hè, nou geen visite hoor,' moppert Karen, 'ik wil ons spelletje afmaken, ik vind het juist zo gezellig met z'n drietjes.'

Herma strijkt haar even over het haar, terwijl ze opstaat. 'Ik zou niet weten wie er op bezoek zou kunnen komen, het zal tante Tabitha of zo wel zijn en die vindt het niet erg als we doorspelen. En als het iemand anders is, poeier ik ze wel af bij de deur.'

'Wat betekent dat?' vraagt Karen.

'Vraag maar aan pappa,' zegt ze terwijl ze naar de gang loopt en de kamerdeur achter zich dichttrekt.

Maar als ze de voordeur opentrekt, staat ze onverwacht tegenover haar zus. Even weet ze niet hoe ze moet reageren, maar dan doet ze een stap naar achteren en zegt: 'Hoi, kom erin.'

'Komt het gelegen?' Karin geeft haar drie kussen.

'Natuurlijk, de kinderen zullen het prachtig vinden dat je er bent.'

Terwijl Karin haar jas uitdoet en aan de kapstok hangt, staat Herma er zwijgend bij te wachten.

'En jij?' vraagt Karin terwijl ze snel haar haren een beetje fatsoeneert voor de spiegel.

'Ik vind het ook leuk dat je er bent.' De woorden komen wat onwillig over haar lippen, maar wat moet ze anders zeggen? Dat ze ervan baalt dat haar zus de rust die er juist even leek te zijn, weer komt verstoren?

'Nou, zo ben je mooi genoeg hoor.' Ze loopt voor Karin uit naar de kamer. Bij het binnenkomen let ze scherp op Pauls gezichtsuitdrukking. Zodra hij Karin ziet, komt er een verraste glimlach op zijn gezicht en Karen springt gelijk op van haar stoel en rent naar Karin toe. 'Tante Karin!'

Job wordt er wakker van, hij kijkt even slaperig om zich heen, maar als hij Karin ziet, is ook hij gelijk klaarwakker. Karin knuffelt de kinderen en kust ook Paul vluchtig even op de wang. 'Hoi zwager, alles goed?'

'Ja, en met jou? Leuk dat je er bent. Ga zitten, dan maak ik wat te drinken dan kunnen jullie zussen even bijkletsen. Wat zal het zijn, thee of koffie?'

'Maakt mij niet uit, maar jullie zijn een spelletje aan het doen zie ik? Ga dan gewoon door, ik heb geen haast. Dan ga ik ondertussen thee zetten, ik weet hier tenslotte de weg.'

'Nee, ga alsjeblieft zitten. Je hoeft mijn plaats nu niet meer in te nemen.' Het klinkt onvriendelijk en Herma hoort dat zelf ook. Maar ze kan er niets aan doen, het irriteert haar mateloos dat Karin, hoe goedbedoeld misschien ook, meteen hier weer het heft in handen wil nemen. Het voelt alsof zij te gast is in het gezin van Karin, in plaats van andersom.

Karin kijkt haar een beetje geschrokken aan. 'Dat was mijn bedoeling ook niet.' Ze gaat bij Job op de bank zitten. 'Hé kerel, moest jij niet meedoen, of durven ze niet met jou te spelen, ben je veel te goed?'

'Ik was een beetje moe en Bram ook, hij wilde slapen.' Job houdt z'n konijn stevig vast.

Karen begint zonder wat te zeggen, het spel op te ruimen.

'Niet afmaken?' vraagt Paul. Ze schudt het hoofd en kijkt even schuw van haar vader naar haar moeder. Paul strijkt haar over het haar. 'We doen het een andere keer over, goed?'

Herma staat nog bij de tafel, ze heeft de blik van Karen gezien en ze voelt een steek van schuld. Het kind is veel te wijs en heeft veel te veel in de gaten. Ze voelt de stemming vaak feilloos aan.

Opgewekter dan ze zich voelt, zegt ze: 'Ik ga een lekker kopje thee zetten en er is ook nog appeltaart. Heeft iedereen daar zin in?' Zonder ieders antwoord af te wachten, verdwijnt ze naar de keuken.

'Zal ik je helpen, mamma?' Karen is achter haar aan gekomen.

'Nou, dat is lief van je. Maar je mag ook gezellig in de kamer blijven, hoor, je hebt tante Karin tenslotte een hele poos niet gezien.' Het is een grote overwinning om te zeggen, maar ze is trots op zichzelf als ze ziet dat Karens gezicht oplicht als ze vraagt: 'Vind je dat niet erg?'

'Nee, tuurlijk niet. Wil jij appelsap? Dan schenk ik dat gelijk in voor jullie.' Ze lacht naar Karen als die zichtbaar opgelucht terug naar de kamer gaat. Als de deur achter haar is dichtgevallen, zet Herma het theewater op. Dan snijdt ze de overgebleven appeltaart in vijf stukken en legt die op schoteltjes. Als ze daarmee klaar is, blijft ze tegen het aanrecht geleund staan wachten tot het water kookt. Vanuit de kamer hoort ze vrolijke stemmen en gelach. Ze heeft het gevoel nog nooit zo alleen te zijn geweest.

Opeens vraagt ze zich af of het niet voor iedereen beter geweest zou zijn, als zij het ongeluk niet had overleefd. Ze schrikt even van de gedachte, heel even maar. Dan zet het idee zich vast in haar hoofd en het geeft een soort rust. Ja, natuurlijk was dat beter geweest. Paul had verder kunnen gaan met Karin, het is immers duidelijk hoe goed die twee het met elkaar kunnen vinden. Ook de kinderen zijn duidelijk gek op haar.

En zij? Zij is alleen maar een blok aan Pauls been. Het lijkt wel of ze nu opeens duidelijk ziet, hoeveel hij in haar moet investeren. Overal moet hij achteraan, voor alles moet hij zorgen, haar bij van alles helpen. Hoe lang houdt hij dat nog vol?

Karen, een kind van zes jaar, voelt zich verantwoordelijk voor haar moeder. Job en zij moeten altijd rekening met haar houden. Nooit kunnen er spontaan vriendjes of vriendinnetjes komen spelen: te druk voor mamma. Dat kan toch ook niet goed zijn?

Ze hoort niet eens dat het water in de fluitketel kookt. Pas als Paul de keuken binnenkomt, dringt de snerpende fluit van de ketel tot haar door. Ze draait het gas laag.

'O, ik dacht dat je even naar boven was gelopen of zo, het ging zo tekeer.' Paul kijkt haar onderzoekend aan. 'Alles goed?'

Ze knikt, 'Ja hoor, wil jij de appeltaart alvast mee naar binnen nemen, dan kom ik zo met de thee.'

Ze schenkt het water in de theepot, hangt er een theezakje in en schenkt dan appelsap in voor Job en Karen. Kijk, dat zijn toch maar mooi dingen die ze weer tegelijk kan onthouden: taart snijden, theezetten, appelsap inschenken en ten slotte ook de thee inschenken. Zo veel tegelijk was haar een aantal maanden geleden echt nog niet gelukt. Als ze met het blad met theeglazen en bekers voor de kinderen de kamer in loopt, voelt ze zich toch weer iets optimistischer. Maar dat duurt maar even: Paul, Karin, Karen en Job zitten met hun viertjes aan tafel, ze spelen memorie. Opnieuw voelt ze een steek van jaloezie, maar ook van berusting. Ja, Paul zou beter af zijn met Karin. Want zelfs een simpel spelletje als memorie gaat haar niet goed meer af. Zwijgend zet ze het drinken op tafel. Zelf gaat ze aan de andere kant van de kamer op de bank zitten en pakt het tijdschrift weer op waarin ze eerder die middag zat te bladeren.

Paul kijkt even haar richting op. 'Het is bijna klaar, hoor,' zegt hij, 'dan komen we ook daar zitten.'

Ze knikt.

'Pap, opletten, jij bent!'

Vanaf haar plekje kijkt Herma het aan. Ja, zo moet hun gezin eruit hebben gezien, voor het ongeluk. Vader, moeder en twee kinderen, gezellig met elkaar om de tafel. Nu zit haar zus op haar plaats. Zijzelf past er niet meer.

Maar dan is het spel afgelopen, met de thee en de appeltaart in de hand komen ze bij Herma zitten. Job kruipt dicht tegen haar aan. Voelt hij wat ze denkt? 'De volgende keer mag jij ook mee doen, hoor mamma,' zegt hij trouwhartig.

'Goed,hoor,' ze knuffelt hem even.

Maar Karen zegt: 'Nee Job, mamma kan dat niet.' Dan begint ze haar appeltaart te eten. De woorden gaan als een mes door Herma's hart, maar de anderen lijken niks te merken.

Tot plezier van de kinderen blijft Karin eten en als ze klaar zijn, brengt Karin ze naar bed. 'Als jullie samen naar de kerk willen?' heeft ze aangeboden, 'dan pas ik wel op.'

'Nee hoor, ik blijf thuis, ik ga nooit twee keer,' heeft Herma geantwoord. Nu ruimt ze de vaatwasser in, Paul is alleen naar de avonddienst vertrokken en boven hoort ze haar zus en de kinderen lachen en praten.

Ze zit allang in de kamer, als Karin weer de trap afkomt. 'Zo, die liggen! O, ik heb het licht al bij ze uitgedaan, maar jij moet ze natuurlijk nog een kusje gaan brengen. Sorry, vergeten, maar ze slapen nog niet hoor.'

'Het is wel goed, ze zullen het niet gemist hebben.' Ze staat niet op.

Even blijft het stil, Karin is ook gaan zitten. Dan vraagt ze: 'Herma, hoe gaat het nu met je? Heb je het idee dat het allemaal nog wat vooruit gaat?'

Herma haalt haar schouders op en zegt: 'Het gaat geweldig! Mens-erger-je-niet gaat alweer, maar memorie is nog wat te hoog gegrepen.' Ze ziet hoe Karin haar niet-begrijpend aankijkt.

'Wat bedoel je?'

'Gewoon, precies zoals ik het zeg! Een sukkel, die een eenvoudig kinderspelletje niet voor elkaar krijgt en een blok aan het been van haar man en kinderen is. En dat dankzij één simpele lichtmast!'

'Je neemt het mij nog steeds heel kwalijk, hè, het ongeluk? En ik kan het nooit goedmaken.'

Herma kijkt van opzij naar haar zus. 'Kwalijk nemen? Nee, eigenlijk niet eens. Het is meer het vaststellen van een feit. En dan doet het er niet toe, wiens schuld het was, het is gewoon gebeurd en hier zie je de gevolgen.'

Karin geeft geen antwoord, ze zit naast Herma, haar schouders gebogen. 'Je zegt wel dat je het mij niet kwalijk neemt, maar je laat het me wel goed voelen, elke keer weer dat we elkaar ontmoeten. Wees dan ook eerlijk en zeg me recht in m'n gezicht dat je woedend op me bent, dat je een hekel aan me hebt. Dat is eerlijker dan dit.'

'Ik had beter direct dood kunnen zijn.'

'Wát zeg je?'

'Je hoort me toch wel? Dat was voor iedereen beter geweest. Voor Paul, voor jou en voor de kinderen.'

'Voor mij?'

'Ik zie echt wel hoe Paul en jij naar elkaar kijken. Ik ben wel simpel, maar niet dom.'

'Je bent niet dom, je bent gek!' Karin staat op. 'Hoe kun je ook maar zo denken!'

Voor Herma kan reageren, ziet ze Karin de kamer uitlopen en gelijk daarna slaat de voordeur dicht. Dan hoort ze hoe Karins auto met piepende banden wegrijdt. Doodstil blijft ze op de bank zitten, wat heeft ze nu gedaan? Waarom zei ze dat? Ze heeft toch geen bewijs, niet anders dan de opmerkingen van Paul? Karin heeft nooit iets in die richting gezegd, toch?

Ze weet het niet meer. Opeens overvalt haar een gevoel van paniek. Wat moet ze zo tegen Paul zeggen als hij thuiskomt? Ze kijkt op de klok, over een minuut of tien kan hij er zijn.

Opeens gehaast staat ze op, ze gaat naar boven, kleedt zich uit en zonder zelfs maar haar tanden te poetsen, kruipt ze diep onder het dekbed. Zo vindt Paul haar een kwartiertje later.

'Wat is dat nou, waarom lig jij al in bed? En waarom is Karin zo vroeg vertrokken?'

'Weet ik veel! Ze wilde weg en ik ben doodmoe, dus als je 't niet erg vindt, ga ik slapen. Het was een drukke middag.'

'Goed, welterusten dan.' Hij bukt zich en kust haar even op haar wang. Dan loopt hij de slaapkamer uit. Herma hoort hem langzaam de trap af lopen.

Ze ligt nog lang wakker, de gedachten malen door haar hoofd. Steeds weer beleeft ze de middag, ziet ze Paul, Karin en de kinderen samen aan tafel zitten, lachend een spelletje doen. En steeds weer komt de gedachte bij haar boven: ze zijn beter af zonder mij.

Ze is moe, zo moe. Al maanden loopt ze op haar tenen, steeds weer opbotsend tegen dingen die ze niet begrijpt of kan. Steeds op zoek naar zichzelf, maar even vaak weer wordt ze geconfronteerd met haar onmacht, het geen grip hebben op de dingen. En dan is daar haar gevoel voor Paul. Aan de ene kant een groeiende liefde, verlangen. Aan de andere kant angst om daar aan toe te geven. Want houdt hij nog wel van haar, of is het toch Karin die tussen hen in staat. En hoe was dat eigenlijk voor het ongeluk, hoe was toen de relatie tussen Paul en Karin? Die vertrouwde omgang tussen die twee, is dat iets van het laatste jaar, of was dat er voor die tijd ook al? Soms haat ze het, om van al die dingen niets af te weten. Want fotoboeken zijn leuk, maar ze laten alleen kleine stukjes zien, gebeurtenissen, maar geen gevoelens. Ze weet ook dat haar karakter veranderd is, ze voelt zich ook niet meer de Herma van vroeger. Soms opeens wordt ze heel boos om een kleinigheid, kan ze heftig uitvallen tegen Paul of de kinderen.

En dan is er nog de gedachte aan Harry, die ook steeds weer opduikt. Wat moet ze daarmee? Ze woelt om en om in haar bed, het grote bed, dat zo leeg is. Hoe later het wordt, hoe donkerder het wordt in haar hart. Moet ze weggaan, misschien voorgoed weggaan? Moet ze... moet ze proberen een eind aan haar leven te maken? Ze schrikt van die gedachte en ze weet tegelijk dat ze daar de moed niet voor zal hebben. Nee, zelfs daarvoor is ze te laf. Het is zo donker om haar heen, zo donker!

Zelfs al ga ik door een dal van diepe duisternis, ik vrees geen kwaad, want Gij zijt bij mij... Waar komen die woorden opeens vandaan? O ja, vanmorgen in de kerk. Maar dat geldt niet voor haar, het zijn woorden voor mensen zoals oma.

Dan huilt ze, er lijkt geen eind aan die tranen te komen. Ten slotte valt ze in slaap.

De weken daarna horen ze niets meer van Karin.

'Hebben jullie ruzie gehad?' vraagt Paul een paar weken later.

'Niet echt ruzie,' antwoordt Herma.

'Maar?'

'Niks maar,' zegt ze ongeduldig. 'Ik kan gewoon niet zo goed met haar opschieten.'

'Jammer.' Meer zegt Paul niet. Hij maakt zich zorgen over Herma, ze is de laatste weken erg stil en in zichzelf gekeerd. Er ligt voortdurend een sombere uitdrukking op haar gezicht. Het lijkt wel of ze haar best niet meer doet om dingen te leren en te onthouden.

Het viel ook Herma's ouders op, toen zij vorig weekend een dag op bezoek kwamen. Maar ook zij konden Herma niet aan het praten krijgen. Zelf heeft hij het ook een paar keer geprobeerd, maar ze glimlacht een beetje vaag als hij door vragen erachter probeert te komen wat er is. 'Niks, er is niks. Laat me maar.' Meer zegt ze niet. Ze brengt en haalt de kinderen naar en van school, kookt eten, doet boodschappen, maar verder neemt ze geen enkel initiatief.

Tabitha heeft hem er ook al op aangesproken deze week. 'Paul, het gaat niet goed met Herma, ze vecht niet meer om vooruit te komen. Ik wil me niet met jullie huwelijk bemoeien, maar ik heb in de kerstvakantie een gesprek met haar gehad en ik denk dat ze erg met zichzelf in de knoop zit, ook wat betreft jullie relatie.'

'Onze relatie, hebben we die dan?' Hij had zelf gehoord hoe bitter dat klonk. Maar het is een feit, Herma laat hem steeds minder toe in haar leven.

Deze donderdag is hij vrij. Herma is net weggegaan om de kinderen op te halen van school. 'Zal ik meegaan?' heeft hij gevraagd.

'Nee, laat maar.' En weg was ze.

Dan gaat de telefoon. Paul neemt op en hoort de stem van zijn schoonvader. 'Is Herma thuis? Nee? Dat hoopte ik al. Ze zei zaterdag dat het vandaag je vrije dag zou zijn, dus ik hoopte je even alleen te treffen. Paul, we maken ons veel zorgen over Herma. Ik denk dat ze behoorlijk diep in een depressie zit en echt meer hulp nodig heeft. Jullie hebben toch nog steeds gezinsbegeleiding en hulp via maatschappelijk werk?'

'Ja, dat wel, maar ik heb zelf ook de laatste weken het gevoel dat het slechter gaat. Ik heb al voorgesteld een tussentijdse afspraak te maken, maar dat wil ze niet.'

'Is er iets gebeurd waardoor het veranderd is, of weet jij dat ook niet?'

'Nee, eigenlijk is het sinds half januari zo. Ik weet ook niet of er een aanleiding voor geweest is. Eerlijk gezegd dacht ik juist dat het, hoewel met kleine stapjes, iets beter begon te gaan. Maar na die ene zondag dat Karin is geweest was ze opeens heel moe, lag ze om halfnegen al in bed. Nu ik erover nadenk... ja, toen is het begonnen.'

'Is er iets gebeurd dan?'

'Dat weet ik niet. Ik was naar de kerk en toen ik terugkwam was Karin naar huis en lag Herma in bed. Ik vroeg nog of ze ruzie hadden gehad, maar volgens haar was dat niet zo. Maar ik zal toch eens bellen naar Karin.'

'Doe dat. Je weet dat wij ook best vaker willen komen, maar Herma wimpelt ieder voorstel in die richting af. En neem contact op met de gezinsbegeleider, ook al wil Herma dat niet. Nogmaals, we maken ons echt zorgen, Paul! Ik heb heel nare dingen meegemaakt in mijn praktijk, laat het niet zover komen.'

Met een bezorgde frons tussen de wenkbrauwen dekt Paul de tafel. Vanavond eerst maar eens naar Karin bellen.

Maar van dat gesprek wordt hij ook niet veel wijzer.

'We hebben geen ruzie gehad, maar ik maak me wel zorgen over haar,' zegt Karin. 'Ze heeft vreemde ideeën in haar hoofd.'

'Zoals?'

'Dat jij... dat jij liever een andere vrouw zou hebben of zo, en

dat ze zelf beter gelijk dood had kunnen zijn bij het ongeluk.'
Karins stem klinkt gesmoord. 'Snap je een beetje hoe ellendig ik
me voel als ze zulke dingen zegt? Ze zegt wel dat ze mij niks
kwalijk neemt, maar door zulke uitspraken laat ze wel merken
hoe waardeloos ze haar leven nu vindt.'

Paul zit nog lang voor zich uit te staren als hij de telefoon heeft
neergelegd. Hij belt vanuit de praktijk, zodat hij ongestoord kon
praten. Nu zit hij, de handen onder het hoofd, nog lang aan het
bureau. Na een poos draait hij opnieuw Karins nummer. 'Wil je
voor ons bidden?' vraagt hij alleen maar, als ze opneemt.

Even blijft het stil. 'Je weet, dat ik dat nog steeds allemaal heel
moeilijk vindt, Paul,' zegt ze dan zacht.

'Ja, dat weet ik. Maar ik weet ook dat je een jaar geleden tegen
me zei, dat je het gevoel had dat God iets aan het doen was in
jouw leven. En dat je je graag door Hem wilde laten vinden. Ik
bid nog steeds iedere dag voor jou, dat weet je, hè?'

'Ja. Paul? Herma denkt ook dat wij wat hebben samen, dat zit
haar ook erg dwars.'

'Dat meen je niet!'

'Dat zei ze ook die zondagavond, daarom ben ik weggegaan.'

'Het spijt me. We hebben nog meer gebed nodig dan ik dacht.'

'Paul… houd je nog van haar?'

'Ja.'

'Laat het haar dan merken, zeg het tegen haar. Ik zal proberen
voor jullie te bidden, goed?'

'Je bent een schat.' Zijn stem klinkt schor, dan legt hij neer.
Z'n hoofd is verward. Ja, hij houdt nog van Herma, maar het is
allemaal zo moeilijk. Want die laatste woorden, die hij zojuist
tegen Karin zei, zijn ook waar: ze is een schat. Een schat,
maar… z'n schoonzusje, niet meer en niet minder. Herma is zijn
vrouw en hij heeft beloofd haar lief te hebben in goede en kwade
dagen, in gezondheid en ziekte. Dus ook nu, ook al is het soms
moeilijk.

Langzaam staat hij op, doet de lichten uit en draait even later de deur achter zich op slot. Hij gaat naar huis met een gebed in zijn hart en een hoofd vol goede voornemens.

Als hij thuiskomt, vindt hij Herma op de bank. Ze staart naar de tv. 'Leuke film?' vraagt hij, terwijl hij dicht naast haar gaat zitten.

Ze schuift een beetje op. 'Mmm, gaat wel, hij is net begonnen.'

'Zal ik wat inschenken, een wijntje of zo? Of weet je wat, we nemen een lekker glaasje port, daar is het echt weer voor.'

'Ik hoef niet, 'k ben moe, ik ga zo naar bed.' Ze staat op.

'Herma…' hij pakt haar hand. 'Ik wil met je praten.'

'Nu niet, ik ga slapen.' Ze loopt de kamer uit.

Hij blijft achter en al zijn goede voornemens ebben weg.

Ook de volgende dagen komt het niet meer tot een echt gesprek. Ontloopt ze hem, of lijkt dat maar zo? Er lijkt geen opening te zijn, ze ontwijkt iedere poging van Paul. Hij weet niet anders te doen, dan goed op haar te letten en haar zo veel mogelijk werk en zorg voor de kinderen uit handen te nemen. Als hij de gezinstherapeut belt en de situatie uitlegt, antwoordt deze dat er zeker eerder een gesprek mogelijk is, maar dan alleen als ook Herma het daarmee eens is.

Zo gaan de weken verder. Soms denkt hij dat het toch weer wat beter gaat, andere dagen weer helemaal niet. Het moeilijkst vindt hij nog het grillige gedrag dat Herma vertoont. De ene keer opgewekt, een ogenblik later weer somber of boos.

17

Begin maart staat het huwelijk van Jasper en Marleen gepland. Herma betrapt zich er meer en meer op dat ze er naar uitziet. Niet vanwege het feest, daar ziet ze juist erg tegenop. Nee, de gedachte Harry weer te zien, lijkt haar nieuwe energie te geven. Ze weet eigenlijk niet wát ze ervan verwacht, maar het geeft haar een spannend gevoel. Het lijkt zelfs of de sombere gedachten over Paul en Karin, over de mislukking van haar huwelijk en leven, even op de achtergrond raken. Zoals altijd kan ze zich maar op één ding tegelijk concentreren en dat is nu Harry.

Tegen de middag worden ze in Amsterdam verwacht. Karen en Job zijn opgewonden over het vooruitzicht een echte trouwerij mee te maken, ze zijn druk en praten honderduit op de heenweg in de auto. Voor ze op de plaats van bestemming, het appartement van Jasper en Marleen, zijn aangekomen, heeft Herma al hoofdpijn. Het kost haar moeite niet uit te vallen tegen de kinderen.

Na een kopje koffie en een broodje gaan ze met een klein groepje van naaste familie en enkele goede vrienden naar het stadhuis. Terwijl de woorden van de ambtenaar langs haar heen gaan, bedenkt Herma hoe vreemd het is, dat ook zij een keer zo heeft gezeten, samen met Paul. Ja, daar zijn natuurlijk foto's van, maar ze zou het zich zo graag ook echt herinneren. Ze kijkt van opzij naar Paul, hij voelt haar blik blijkbaar en kijkt haar even aan en knipoogt. Of is die knipoog niet voor haar bedoeld? Ze kijkt naar haar zus, die aan haar andere zijde zit. Karin kijkt recht voor zich, een kleine glimlach op het gezicht. Waar komt die glimlach vandaan? Nog van de knipoog, die ze zojuist heeft gekregen?

Houd toch op!

Wat is ze toch wantrouwend geworden. Ja, dat is het, ze is echt wantrouwend geworden, overal zoekt ze iets achter. Hoe komt dat toch? Ach, het is toch geen wonder? Iedereen kan haar van alles wijsmaken over haar eigen leven, zij moet alles maar geloven. Ze probeert zich weer te concentreren op wat de ambtenaar zegt.

'Dan verzoek ik u nu op te staan en elkaar de rechterhand te geven.'

Herma luistert ingespannen naar wat de ambtenaar vraagt aan Jasper en Marleen en hoe ze beiden 'ja' zeggen. Dit hebben Paul en zij elkaar dus ook beloofd. Ze ziet hoe het bruidspaar hun handtekening zet, daarna zijn Karin en zij aan de beurt als de getuigen van Jasper. Als ze weer terugloopt naar haar plaats, ziet ze net voor ze zich weer omdraait om te gaan zitten, in een flits een man op de achterste rij stoelen. *Harry!* Even blijft ze stokstijf staan, dan gaat ze zitten, haar benen trillen. Wat er verder nog gezegd wordt, hoort ze niet. Even later loopt ze naast Paul de trouwzaal uit.

'Alles goed?' Ze ziet hoe Paul haar bezorgd aankijkt.

Ze knikt. 'Ja hoor.'

Nu gaat het hele gezelschap naar een mooie locatie om foto's te maken en daarna is er bruidstaart en begint de receptie.

'Jammer toch, dat ze niet in de kerk trouwen,' vindt moeder Hanny. 'Dat gaf toen op jullie trouwdag net dat beetje meer, vind je niet?'

Herma knikt maar wat, ze weet het immers niet meer en de meerwaarde ervan ziet ze ook niet. Ze heeft heel andere dingen aan haar hoofd: waar is Harry gebleven?

Pas 's avonds op het feest ziet ze hem weer. Opeens staat ze tegenover hem.

'Hallo Herma, jij ook gefeliciteerd met het huwelijk van je broer en schoonzus.' Hij geeft haar een hand.

Waarom geen kus? Ze kijkt hem aan, probeert in zijn ogen iets terug te vinden van de Harry van toen. Maar hij kijkt haar niet met een speciale blik aan, gewoon vriendelijk, meer niet. Dan heeft hij haar hand al losgelaten, achter hem komt een vrouw. 'Hallo, ik ben Arja, de vrouw van Harry. Ook gefeliciteerd.'

Automatisch drukt ze de toegestoken hand, mompelt iets. Ze

kijkt hem na als hij de anderen begroet en dan samen met zijn vrouw een plekje zoekt aan een tafel. Eindelijk dringt de waarheid tot haar door. Deze man is helemaal niet meer de Harry van vroeger, Harry haar vriendje. Deze man is gewoon een vreemde man. Hij lijkt ook niet meer op die Harry, de vlotte student. Zijn donkere haar begint al wat terug te wijken van zijn voorhoofd en zijn slanke figuur is ook verdwenen. Zijn keurige stropdas hangt op een wat dikke buik. Onwillekeurig gaat haar blik naar Paul, wat ziet hij er eigenlijk goed uit. Of denkt ze dat maar, omdat ze verliefd op hem is?

Verliefd op hem is? Ze schrikt zelf van die gedachte. Maar ze weet dat het zo is, de laatste maanden is haar gevoel voor hem alleen maar gegroeid. Als ze dat ooit zeker heeft geweten, is het wel nu. Maar ze beseft ook, dat het te laat is. Hun tijd is voorbij, die was voor het ongeluk, nu is het na het ongeluk. En dat zal altijd zo blijven. Opeens ziet ze het heel scherp: zijzelf is dusdanig veranderd, dat de relatie tussen Paul en haar nooit meer hetzelfde kan worden. Hij is nog steeds dezelfde man, maar zij zal nooit meer de Herma van vroeger worden. Haar ogen zoeken Karin, ze ziet haar aan de andere kant van de feestzaal, ze danst met Job en Karen op de muziek van het bandje, dat nu nog zachtjes speelt. Straks, als alle gasten er zijn, zal de muziek harder worden, te hard voor haar oren. Dan zullen ze naar huis moeten, hoewel Paul en de kinderen het nog naar hun zin hebben. Weer zullen ze rekening met haar moeten houden, zoals altijd het geval zal blijven.

Haar blik blijft aan het groepje hangen, nu voegt Paul zich ook bij hen, hij pakt de handen van Karen en Job en met z'n vieren draaien ze rond. Ze hoort Job schateren.

Ze kan haar ogen er niet van losmaken.

Ja, zo moet het zijn: Paul en Karin met de kinderen, zo is het goed.

Langzaam staat ze op, ze loopt de zaal uit, de gang door naar de uitgang. Haar jas blijft binnen hangen, maar ze voelt de kou niet eens als ze naar buiten stapt. Als in trance loopt ze langs de gracht, langzaam komt ze in een rustiger gedeelte van de stad. Nog steeds loopt ze rechtdoor, tot ze bij een brug komt. Hier loopt bijna niemand meer. Ze staat stil en buigt zich over de leuning. Automatisch stelt ze vast dat hij eens wit geweest moet zijn, maar nu is hij afgebladderd. Er moet nodig een verfkwast langs. Dan begint ze te lachen, eerst zacht, maar steeds harder.

'Er moet nodig een verfkwastje langs…'

Ze ziet niet dat een voorbijganger even opkijkt maar dan weer doorloopt. Langzaam komt ze tot zichzelf. Ze buigt zich over de leuning en staart in het donkere water, opeens voelt ze hoe koud ze is.

In een boek zou er nu een stem in haar hart komen, de troostende stem van God, maar zij hoort hem niet.

God? Gelooft ze dan in God? Waar is Hij dan nu? Het water maakt zachte, lokkende geluiden.

Een dal van diepe duisternis… Is dit niet duister genoeg? Of is het water dat dal van duisternis?

'God!' Ze schreeuwt het uit, diep voorover gebogen. Zij, ze is zelfs te laf om zich in het water te laten vallen!

Dan zijn er twee armen om haar heen. 'Meisje, meisje toch! Wat doe je? Niet doen, ik houd toch van je, ik kan je niet missen!' Paul snikt terwijl hij haar tegen zich aantrekt, ze voelt zijn lichaam schokken. Willoos laat ze zich meevoeren, zijn jas om haar schouders geslagen.

Later zitten ze samen in de auto, er wordt nauwelijks gesproken onderweg. Herma heeft haar eigen jas aan en die van Paul erover heen, toch klappertandt ze nog.

'Waar zijn de kinderen?'

'Karin neemt ze mee naar huis, daar kunnen ze blijven slapen.' Meer wordt er niet gezegd.

Thuis helpt Paul haar uit de auto, het huis binnen. Hij laat het bad vollopen, ze kleedt zich uit en laat zich in het warme water zakken. Dit water is niet donker, het lokt niet, het sluit zich vriendelijk om haar heen. Langzaam wordt ze warm.

Als ze haar pyjama heeft aangetrokken en de slaapkamer binnen gaat, zit Paul op de rand van het bed.

Ze durft hem niet aan te kijken.

'Neem zo maar een slaappil, morgen zullen we praten.'

Ze knikt, de tranen beginnen alweer te stromen.

'Je hebt hulp nodig, Herma, ik heb het erg onderschat denk ik.'

Hij slaat het dekbed open. 'Hier, ga maar liggen, dan haal ik een pilletje en water. Wil je ook nog wat eten?'

Ze schudt nee. Als hij de slaapkamer weer binnenkomt en op de rand van het bed gaat zitten met het glas in de ene en de slaappil in de andere hand, zegt ze zacht: 'Het spijt me zo, Paul.'

Hij zet het glas neer en slaat een arm om haar heen. 'Meisje, ik houd zo veel van je, dat heb ik je te weinig laten merken, denk ik. Ik wil je echt nooit missen. Vorig jaar dacht ik dat ik je kwijt was, maar ik kreeg je terug. Weet, dat ik er altijd voor je zal zijn.'

'Maar ik ben zo anders, Paul, ik ben niet meer die ik was.'

'Dat geeft niet, we zullen gewoon opnieuw beginnen, helemaal aan het begin. Ik heb geen haast. Maar we zullen meer hulp moeten zoeken, zodat we elkaar weer kunnen vinden.'

'En Karin?'

'Karin is je zus dus ook mijn zus, maar echt niet meer, geloof je me, Herma?

Ze knikt en slaat het dekbed naast zich open. 'Wil je alsjeblieft naast me komen liggen en me even heel stevig vasthouden?'

Ze probeert haar ogen open te houden, maar het lijkt of er gewichten op haar oogleden liggen.

Dan zakt ze weg in het donker.

Al ga ik door een dal van diepe duisternis, ik vrees geen kwaad, want Gij zijt bij mij...